SYLVIE LOUIS

Le journal d'Alice

Le Big Bang

DOMINIQUE ET COMPAGNIE

Coucou, cher journal, me revoilou !

Mercredi 2 juin

À la sortie des classes, ma sœur Caroline et moi, on s'est arrêtées au dépanneur. Elle a choisi un chocolat blanc et moi, un à la menthe. J'aime TROP le chocolat à la menthe ! On était presque arrivées chez nous quand j'ai aperçu Sushi, le chat de nos nouveaux voisins, à travers leur baie vitrée. Il nous observait. Ça m'a fait penser à mon chat à moi. En effet, avant qu'il ne souffre de son problème cardiaque, Grand-Cœur m'attendait toujours quand je revenais de l'école. Se tenant bien droit sur le dossier du sofa, juste devant la fenêtre du salon, il guettait mon arrivée. À l'époque, j'avais demandé à mon père :
– Comment devine-t-il que je vais rentrer ? Les chats ne savent pas lire l'heure, tout de même !
– Non, effectivement, avait répondu papa. Mais il paraît qu'ils ont un sixième sens.
Moi, je crois que c'était l'affection que me portait Grand-Cœur qui faisait que, pendant plus de deux ans, il avait toujours été fidèle au poste. À partir de ma rentrée en 5e année, mon chat avait perdu cette habitude. Je pensais qu'il la retrouverait tout simplement au bout de quelques jours, comme avant, mais non. Désormais, Grand-Cœur était souvent endormi sur mon lit lorsque je revenais à la maison. Aujourd'hui, je sais que c'est parce qu'il était malade et que ça le fatiguait beaucoup. Mon bon pacha

de chat… Déjà un mois et demi qu'il est mort et enterré au fond du jardin. Il me manque toujours autant. Mais au moins, ça me fait du bien de constater que mon affection pour lui est intacte. J'ai maintenant la certitude que je l'aimerai toute ma vie.

18 h 49. On vient de souper et je ne pouvais pas attendre pour te raconter ça, cher journal! Maman avait préparé une fricassée de tofu aux oignons, tomates, poivrons et fromage feta. C'était très bon… à part les morceaux caoutchouteux de tofu. J'en ai mastiqué quelques-uns avant de me décider à les avaler. Quant à Caroline, elle a trié les cubes suspects sur le bord de son assiette. Seule Zoé, notre bébé chéri de 8 mois et 1/2, a échappé au tofu. Elle est encore trop petite pour en manger. Bref, tout ça pour te dire, cher journal, que tu ne devineras jamais la meilleure. Notre diététiste de mère va écrire un livre sur le tofu! Lorsqu'elle nous l'a annoncé, papa, sous le choc, s'est presque étouffé avec sa bouchée. Après avoir toussoté, il a poussé un soupir.
– Sur le tofu…
– Pourquoi n'écris-tu pas plutôt un livre de recettes à base de ketchup? a lancé Caro. Ça aurait beaucoup plus de succès! Et tu ferais plaisir à ta fille!

Tentant moi aussi de dissuader moumou, j'ai déclaré:
– Ça ne goûte rien, le tofu…

3

– Justement, c'est un extraordinaire capteur de saveurs ! s'est enthousiasmée maman. Je dirais même plus : un révélateur de saveurs. Les possibilités qu'offre le tofu sont innombrables !

Comme tu t'en doutes, cher journal, il est inutile de discuter avec Astrid Vermeulen de ce sujet tabou. « Innombrables », a-t-elle dit… Déprime. Je sens qu'à l'horizon se profile une lonnnnngue série de repas à base de tofu. Car ce bouquin va contenir des recettes. Et QUI va servir de cobayes pour les tester ? Je te le donne en mille…

19 h 31. Je sors de la douche. Quand quelque chose ne va pas, ma mère me suggère souvent de trouver 10 points positifs. Cette fois, je n'ai pas suivi ses conseils… J'aurais pu chercher longtemps quelque chose de chouette à dire sur le tofu ! Cependant, tandis que je me lavais les cheveux, un point + a toutefois émergé de mon esprit. Distraite comme je suis, je le note pour ne pas l'oublier. Le voici : cette affaire de tofu m'a donné une idée de cadeau pour la prochaine fête des Mères (dans 11 mois…). Un tee-shirt avec l'inscription :

TOUCHEZ PAS À MON TOFU !

19 h 45. Je me demande ce que Catherine Provencher (la gourmande de ma classe) pense du tofu. Je ne vais quand même pas lui écrire un courriel : « Quelle est ton opinion sur le tofu ? » Ma question peut bien attendre à demain. Bon, j'ai fini mon devoir de grammaire et je connais ma leçon d'anglais par cœur (incroyable, mais vrai !).

Et comme ça fait plusieurs jours que je n'ai pas visité lola-falbala.com, le site de ma chanteuse préférée, j'y vais de ce pas, cher journal ! Ça me changera les idées…

20 h 16. Balayées, mes préoccupations sur le tofu ! Lola Falbala a rompu avec son boxeur. Sur son blogue, elle ne donne aucune explication mais écrit simplement : « C'est fini. J'ai décidé de tourner la page. » Grande nouvelle, par ailleurs : elle vient d'adopter un bébé chihuahua. Son site Web montre une photo d'elle assise sur son sofa (rose flash en forme de lèvres !). Elle est vêtue d'un élégant pyjama en satin blanc. Sur ses genoux se tient son mini-chiot beige, un mâle âgé de 9 semaines. Trop mignon ! Lola demande à ses fans de l'aider à trouver un nom pour son petit trésor. Celui ou celle qui aura proposé le nom qu'elle lui donnera recevra 2 billets gratuits pour un de ses concerts, n'importe où dans le monde ! WOW !

2 billets gratuits !

J'ai immédiatement appelé Marie-Ève. Je l'ai mise au courant pour le boxeur, le chihuahua et le concours qui se termine dans deux jours. Puis, on a cherché des noms. Ma meilleure amie a déclaré :
– Je l'appellerais Bichon, ce chiot. Comme ça, Lola Falbala pourrait bichonner son p'tit Bichon. Qu'est-ce que tu en penses ?
J'ai pouffé de rire.
– C'est ainsi que mon père surnomme Zoé, figure-toi !

– Oups ! a fait Marie-Ève. Je ne le savais pas… Excuse-moi !
Je l'ai rassurée.

– Ne t'en fais pas ! Je trouve d'ailleurs que ce nom convient
mieux à un chien qu'à un bébé humain. Ça ne me dérange
vraiment pas si tu le proposes.

– Écoute, j'ai une autre idée : Lola pourrait appeler son petit
chien *Cuty*. Tu ne trouves pas ça *cute* ?

– Vraiment *cute*… c'est le cas de le dire ! Et qu'est-ce que
tu dis de *Mister* ? Monsieur, c'est rigolo pour un tout petit
chien, non ?

– Ça fait très classe ! Dis donc, Alice, tu fais des progrès en
anglais !

– Merci de m'encourager, ma chère ! Parce que ce n'est pas
Cruella (notre prof d'anglais) qui en ferait autant !

Prise d'une inspiration subite, j'ai ajouté :

– Si je gagne le concours, Marie-Ève, je t'inviterai au
concert !

– J'y compte bien ! Et si c'est moi qui remporte le prix, tu
m'accompagneras. Imagine-toi… assister toutes les deux
à un concert de Lola Falbala ! À Las Vegas, par exemple…
Bien sûr, on porterait notre tee-shirt de Lola ! Car je ne
désespère pas de recevoir le mien, un jour.

– Ce serait trop cool, en effet ! Bon, je te laisse. Je vais
m'inscrire au concours avant d'aller au lit. À demain,
Marie-Ève !

– Bye Alice ! Fais de beaux rêves.

21 h 16. J'allais me coucher, cher journal, quand j'ai repensé à tout ça. Lola Falbala a remplacé son boxeur super costaud (qui, apparemment, ne faisait pas le poids) par un autre compagnon : le plus mini des chiens qui ne pèse quasiment rien, à peine plus qu'une plume… Amusant, tu ne trouves pas ?

Jeudi 3 juin

En arrivant dans la cour de l'école, ce matin, j'ai remarqué un attroupement sous l'érable. Jade et Audrey étaient au courant pour le concours. Elles et Marie-Ève venaient d'en parler aux autres, qui, bien entendu, voulaient également y participer.

– Je m'inscrirai cet après-midi, a déclaré Catherine Provencher. Je vais proposer à Lola Falbala d'appeler son chihuahua *Sweetie Pie*.

– Et moi, *Chéri*, a dit Catherine Frontenac. Ce n'est pas le genre de nom que je donnerais à un grand golden retriever, mais pour un chien miniature, ça conviendrait bien.

Audrey, elle, avait opté pour *Baby Lou* et Jade pour *Junior*.

Africa réfléchissait. Tout à coup, elle s'est écriée :

– Chouchou !

– Chouchou, c'est trop mignon ! ai-je lancé.

Patrick et Eduardo se sont approchés.

– De quoi vous discutez, les filles ? a demandé ce dernier.

Marie-Ève lui a répondu :

– On cherche des prénoms pour le chien de Lola Falbala.

– *Monster* ! a lancé Patrick. Le danois de mes grands-parents s'appelle comme ça.

– Ou Dracula, si son chien a des dents pointues, a proposé Eduardo.

Mes amies et moi, on a éclaté de rire.

– Le chiot de Lola Falbala ne risque pas de devenir un molosse sanguinaire ! a précisé Jade. C'est un chihuahua, la plus petite race de chien au monde.

Patrick a répliqué :

– Microbe, alors.

J'ai rétorqué :

– Pas bête. Sauf qu'elle choisira sans doute un nom anglais. Comment dit-on microbe en anglais ?

– *Microbe,* a répondu Patrick.

– Tu en es sûr ? a dit Catherine Frontenac.

Audrey a été catégorique.

– Il a raison ! C'est bien *Microbe*. Mais ce nom-là n'est pas du tout le style de Lola Falbala… Si tu veux avoir une chance de gagner la paire de billets pour son concert, il faut trouver quelque chose de plus *glamour,* Pat.

– Des billets pour son concert ?! a répété Patrick en ouvrant des yeux grands comme des soucoupes. Comment ça ?

On lui a expliqué. Patrick Drolet s'en fiche complètement du chihuahua de Lola Falbala. Malgré tout, il est ferme-ment décidé à participer au concours. En effet, lui aussi est dingue de cette chanteuse, mais pas pour les mêmes raisons que nous. Il la trouve super sexy ! Ah, les gars…

La cloche a sonné. En prenant mon sac à dos, j'ai demandé à Catherine Provencher :

– Sais-tu ce que c'est, le tofu ?

– Bien sûr !

– Et tu aimes ça ?

– Beaucoup ! Maman prépare deux plats délicieux à base de tofu.

Pourtant, sa mère à elle n'est pas diététiste mais pharmacienne. Enfin, j'aurais dû me douter de la réponse de Catherine Provencher…

– Pourquoi me poses-tu cette question, Alice ?

– Oh, pour rien, laisse tomber…

En deuxième heure, madame Fattal, alias Cruella, nous a distribué nos contrôles d'anglais. J'ai eu 7/10, ce qui n'est pas mal du tout (surtout pour moi). À la fin du cours, la prof a annoncé qu'il était plus que temps de se plonger dans la préparation du spectacle de fin d'année. Audrey l'a questionnée :

– On va faire un spectacle en anglais ?

– Non, a répondu Cruella. Il sera en français, comme toujours. Mais depuis plus de 20 ans, je m'implique dans la préparation des soirées de fin d'année de l'école. Votre enseignant, par contre, ne possède aucune expérience dans ce domaine. J'ai donc proposé au directeur d'aider monsieur Gauthier à monter la pièce de théâtre que votre classe jouera le soir de la représentation. Je reviendrai vous en parler à 14 h 30, cet après-midi.

En sortant de la classe, Marie-Ève m'a rejointe. Elle a soupiré :

– Crucru va se mêler de notre pièce ! C'est pas drôle…

– À qui le dis-tu ! J'espère que monsieur Gauthier ne se laissera pas imposer n'importe quoi.

Lorsqu'on est revenus de la récré, on a questionné le prof à ce sujet. Il avait l'air contrarié.

– Je n'étais pas au courant, nous a-t-il expliqué. Monsieur Rivet vient de m'en toucher un mot. D'après ce que j'ai compris, madame Fattal a beaucoup insisté pour coordonner la pièce de théâtre. C'est avec moi qu'auront lieu les répétitions. Mais c'est elle qui choisira le texte, qui distribuera les rôles et dirigera le tout.

PFFF…

Moi qui ai toujours aimé me déguiser et interpréter des personnages, j'adore participer au spectacle de fin d'année. J'attends avec impatience les répétitions avec la classe, les essayages de costumes et, juste avant les vacances, la merveilleuse soirée, l'excitation avec les amis derrière le rideau rouge de la grande salle… Sauf que cette année-ci, pour une fois, je ferais *tout* pour ne pas participer à la fête. Tu vas comprendre pourquoi, cher journal. Comme elle l'avait promis, Cruella est revenue dans notre local à 14 h 30 tapantes. Elle nous a annoncé que la pièce de théâtre qu'elle avait choisie s'intitulait : *Mystère au lac Vert*. L'avantage, selon elle, c'est que cette pièce a déjà été jouée il y a quatre ans. Et que les beaux décors construits par un couple de parents bricoleurs, à l'époque, se trouvent au sous-sol de l'école, prêts à resservir. Ainsi que les costumes cousus par une maman bénévole, d'ailleurs.

Avant de distribuer les rôles, Cruella nous a fait la lecture du texte *Mystère au lac Vert*. Je dois reconnaître qu'il s'agit d'une histoire captivante. Au moins aussi cool que celle de l'an dernier, où je jouais le rôle d'un fantôme dans un château mis en vente. Cette pièce-ci raconte l'enlèvement de Stella, une des monitrices d'un camp de vacances. J'avais trop envie d'interpréter son personnage! D'autant plus que Karim, mon voisin de classe, avait obtenu le rôle de Manu, le fameux moniteur qui mène l'enquête parallèlement à la police. C'est grâce à lui qu'on retrouve la monitrice séquestrée dans une grotte des environs. Mais le regard de Cruella a glissé au-dessus de moi et s'est posé sur Éléonore. On sait bien, elle, c'est son chouchou! Quelle déception, tout de même…

Presque tous les élèves de la classe avaient déjà reçu leur rôle. Moi, j'attendais. C'est alors que Cruella a déclaré:
– Il ne nous manque que les trois bandits. Bohumil, Eduardo et Alice Aubry, vous serez Gaston, Gonzague et Gontrand.

QUOI???!!!

Me levant, j'ai dit:
– Madame Fattal, je préfère jouer le rôle d'une des filles qui fréquentent le camp de vacances!
– J'ai déjà suffisamment de filles, m'a-t-elle répondu.

En désespoir de cause, j'ai proposé :

– On pourrait transformer la bande de malfaiteurs en une gang mixte, composée de deux gars et d'une fille : Gaston, Gonzague… et Geneviève, par exemple.

Peine perdue ! Cruella ne voulait rien entendre. Moi, je trouve ça sexiste de penser qu'il n'y a que les gars qui peuvent faire des mauvais coups. Lorsque j'ai déclaré que ça ne me tentait pas du tout de me glisser dans la peau d'un garçon, elle a rétorqué :

– Être acteur ou actrice, cela signifie jouer un rôle, et parfois, un rôle de l'autre sexe.

Alice = Gontrand

Gigi Foster, qui s'était vu attribuer le rôle d'une policière, s'est penchée vers la rangée de droite, où est assise Audrey. Elle lui a dit :

– Alice peut sans problème faire un gars ! Elle a des cheveux courts et ne porte pas de soutien-gorge.

Je suis devenue rouge comme une tomate ! Écarquillant ses yeux plusieurs fois d'affilée, Patrick le pas subtil a mimé de gros lolos avec ses mains. Bref, c'était l'horreur absolue ! La honte totale !!! Tous les regards des garçons et aussi des filles de la classe étaient fixés sur moi, plus précisément sur mon tee-shirt plat. J'aurais souhaité être à 1 000 lieues d'ici !

– Mais, madame Fattal, a protesté monsieur Gauthier, je trouve l'idée d'Alice…

– Taratata ! l'a interrompu Cruella. On voit bien, *monsieur*, que vous n'avez jamais eu à organiser un spectacle de fin d'année. Assez de discussion ! Je vais distribuer le texte de la pièce. La représentation des 5e et 6e années se tiendra le 18 juin, en soirée. D'ici là, je m'attends à ce que vous consacriez trois périodes par semaine aux répétitions.

Monsieur Gauthier m'a lancé un regard désolé. Il avait gentiment pris ma défense. Mais, même s'il est beaucoup **beaucoup** plus grand que Cruella, cette dernière tenait à lui montrer qui était la *boss*...

La cloche annonçant la fin des cours a sonné. Marie-Ève s'est dirigée vers la porte de la classe. Cruella l'a appelée. Que pouvait-elle bien vouloir à ma meilleure amie ? Devant les casiers, Africa s'en est prise à Gigi Foster :
– Tu n'as aucune raison d'humilier Alice ! Tu es beaucoup plus costaude qu'elle ! En plus, tu es née au mois d'octobre. Et elle, en août de l'année suivante. Imagine ! Tu as...
Elle a compté sur ses doigts avant de reprendre :
– Tu as 10 mois de plus qu'elle ! Quand Alice aura ton âge, ses seins auront sans doute commencé à pousser, eux aussi.
Je n'ai pu m'empêcher de rougir de nouveau. C'était tellement gênant, tout ça ! Gigi Foster, qui ne prêtait aucune attention au monologue d'Africa, a refermé son casier d'un coup sec. Elle s'est dirigée vers les toilettes.
– Elle a bien raison, Afri ! m'a dit Marie-Ève qui nous avait rejointes. Gigi est l'aînée des filles de notre classe, et toi, la plus jeune avec Jade. En plus, je me souviens que cet

hiver, Gigi s'est vantée d'avoir déjà ses menstruations. C'est normal qu'elle soit plus formée que la plupart d'entre nous !

Je descendais l'escalier avec Marie-Ève lorsque, derrière nous, on a pouffé de rire. Je me suis retournée. C'était bien de moi que Patrick et Eduardo se moquaient ! Tout à coup, j'en ai eu plus qu'assez de ces niaiseries ! J'ai explosé :
– Attendez la pièce de l'an prochain, quand on vous assignera un rôle de fille ! Et qu'on vous fera porter une jupe fleurie et une boucle rose dans les cheveux !!!

Imitant une voix super aigüe, Patrick s'est écrié :
– *Oooh, j'adooore !*
– Quels abrutis, ceux-là ! a soupiré Marie-Ève. En tout cas, tu leur as bien répondu ! Pour changer de sujet, écoute ça : Cruella m'a demandé si ma mère accepterait, cette année encore, d'être maquilleuse bénévole pour la soirée du 18 juin.
– Ça, au moins, ce serait cool !
– Je suis sûre qu'elle dira oui.

Marie-Ève et moi, on s'est saluées. Puis, je me suis dirigée vers le couloir menant à l'entrée de l'école, là où ma sœur et moi on se retrouve pour repartir ensemble à la maison.

Caro n'était pas encore là. Je me suis effondrée sur le banc près de la réception. Pfff… quel horrible après-midi ! Soudain, Karim est apparu. Il m'a souri nerveusement. Sans un mot, il m'a tendu la main…??? … et a glissé quelque chose dans la mienne. C'était un papier plié plusieurs fois. Apparemment une feuille qu'il avait dû arracher à son cahier de brouillon. Le temps que je relève la tête, mon voisin de classe s'éloignait déjà. Il a ouvert la porte donnant sur la cour et a disparu. Quel comportement bizarre, tout à fait inhabituel pour lui qui est si sociable… Décidément, rien ne tournait rond ! Bon, c'était quoi, ce bout de papier ? Après l'avoir déplié, j'ai lu : « Tu n'as peut-être pas encore de soutien-gorge, Alice, mais moi, tu me plais comme ça. N'écoute surtout pas les niaiseries de Gigi ! »

Pour la troisième fois en un quart d'heure, j'ai senti le sang me monter au visage. À cet instant, Caroline a bondi devant moi.

– Pourquoi tu es toute rouge, Alice ?

– Ouf, j'ai tellement chaud ! ! ! lui ai-je répondu en fourrant le message de Karim dans la pochette extérieure de mon sac. Viens, on y va !

Pendant le trajet, ma sœur m'a raconté sa journée. De temps en temps, je lui disais « oui » machinalement. Car en fait, je ne l'écoutais pas vraiment. Pas du tout, même. Je n'en revenais pas ! ! ! Les seins, les soutiens-gorge, ça fait partie de l'intimité, non ? Pourtant, depuis la remarque super vexante de Gigi Foster, tout le monde parlait de mes seins comme s'il s'agissait d'un sujet de discussion public ! Ou plutôt, de mon absence de seins… Non, mais ! Tant qu'à y être, pourquoi n'installe-t-on pas un panneau électronique à l'entrée de l'école, qui décompterait les jours (les mois ? les années ? sniff !) pour que mes micro-lolos invisibles sous mon tee-shirt deviennent dignes de ce nom. Comme ça, tout le monde serait informé ! GRRRRRR… En parlant de seins, ceux de ma mère ne sont pas très gros, mais ils ont quand même la taille d'un petit pamplemousse. J'espère en avoir de beaux comme les siens, plus tard. Enfin, dans pas trop longtemps. Pour que plus jamais on ne me fasse jouer le rôle d'un gars !

J'ai confié à maman ma déception d'avoir un rôle aussi nul dans la pièce.
– Ce n'est pas drôle, a-t-elle reconnu. Mais peux-tu essayer de trouver 10 points positifs à la situation, Biquette ?
Nân, pas un seul !

20 h 50. En repensant à la moquerie de Gigi Foster, je me suis dit que je voudrais avoir un soutien-gorge. Juste un petit, tout simple, pour… pour faire comme les autres. Pour faire féminin, quoi. En attendant que mes lolos deviennent en 3D. Oh, je suis loin d'être la seule fille de 5e (et même de 6e) à ne « rien » avoir encore ! Mais, même Jade porte un « top ». Cependant, si j'en parle à maman, qui est toujours pratique, je suppose qu'elle me répondra que je n'en ai pas encore besoin. Bref, j'ai décidé de ne pas aborder le sujet, du moins, pas maintenant. Une humiliation me suffit pour aujourd'hui.

20 h 59. Avec tout ça, j'avais oublié le petit mot de Karim. Je viens de le sortir de mon sac. Après l'avoir défroissé,

j'ai relu ce qu'il avait écrit. Bon, oublions cette lamentable affaire de soutien-gorge. Mais à part ça, je lui plais ?! Tant mieux ! Parce que lui aussi me plaît. Karim a toujours été mon ami. Depuis mardi, il est mon voisin de classe et je me sens bien à côté de lui. Très bien, même. Tellement bien, d'ailleurs, que pour la 1re fois de ma vie, je suis un peu triste quand la cloche de l'école sonne la fin des cours, qu'il faut se lever et se saluer. (Sauf aujourd'hui, évidemment, et ce n'est pas sa faute, mais bien celle de Cruella et de Gigi Foster.) Bref, je plais à Karim… Ben voyons, qu'est-ce qui m'arrive ?! Je me sens molle et un peu étourdie. Pas étonnant que je sois fatiguée, avec tout ce qui s'est passé ! J'ai glissé le message de Karim au fond du tiroir de ma table de chevet et maintenant, **au lit, Alice Aubry !**

Vendredi 4 juin

Ce matin, Marie-Ève m'a prêté le roman *Énigme au ranch,* le 2e de la collection *Passion équitation.* Elle m'a assuré qu'il était au moins aussi bon que le 1er. Ça tombe bien, je pourrai le commencer ce soir. Quant à Karim, il était redevenu tout à fait normal, aujourd'hui, c'est-à-dire super agréable. À la récré, il est venu partager ses chips BBQ avec Marie-Ève et moi. (Et du coup, avec les 2 Catherine, car on dirait que Catherine Provencher possède un radar infaillible pour détecter les bonnes choses à grignoter.)

Croquant quelques chips, elle a soupiré d'aise:
– Mmm, trop délicieux…

17

– Ce sont mes chips préférées ! ai-je déclaré.

– Je sais, a dit Karim.

Catherine & Catherine

Depuis le temps, je te dois une explication, cher journal. Tu te demandes sûrement pourquoi je parle toujours des deux Catherine sans jamais leur donner de surnom, ce qui simplifierait pourtant les choses. Je n'aurais pas besoin, à chaque fois, de mentionner leur nom de famille. Figure-toi que ça date de la rentrée scolaire en maternelle. Au bout de quelques jours, Sabrina, notre enseignante, a commencé à appeler Catherine Frontenac *Cathy* et Catherine Provencher *Catou*. Je vois encore mes deux amies se rendre ensemble devant le bureau de Sabrina.

– Je ne m'appelle pas Catou ! a déclaré Catherine Provencher d'un ton sérieux. Mon nom, c'est Catherine.

– Et moi, je ne suis pas Cathy, mais Catherine aussi, a dit pour sa part Catherine Frontenac.

Surprise, Sabrina avait répondu :

– Excusez-moi, les filles ! Je vous donnais ces diminutifs pour ne pas devoir à chaque fois vous appeler par votre prénom *et* votre nom de famille.

– Ça ne me gêne pas que vous disiez mon nom de famille, a dit Catherine Provencher.

– Moi non plus, a renchéri Catherine Frontenac. Du moment que vous m'appeliez Catherine.

Dire qu'elles étaient si sérieuses, au début de la maternelle ! Et qu'elles sont devenues si rigolotes. Lorsque Catherine

Provencher rit, on croirait entendre une poule qui glousse! Catherine Frontenac, elle, est connue pour ses fous rires contagieux. Bref, depuis cette époque, elles sont de grandes amies. Et on a toujours respecté leur choix, à l'école. Enfin, presque toujours. Noah Robitaille appelle sa blonde «Cath», mais ça n'a pas l'air de la déranger. Ah! l'amour…

En dernière heure de l'après-midi, monsieur Gauthier nous a annoncé:
– Je vais vous parler du Big Bang.
Sans lui laisser le temps de poursuivre, Jonathan a demandé:
– C'est quoi le *Big Bang*? Un film d'action?
Et il s'est levé si brusquement que BING BADANG! sa chaise est tombée. Il a fait semblant de dégainer une arme et de tirer en l'air.
– PAW! PAW!
D'une voix calme mais ferme, notre enseignant l'a rappelé à l'ordre:
– Jonathan, s'il te plaît, tu ramasses ta chaise et tu te rassois. Dans moins d'une demi-heure, la cloche va sonner. Tu pourras alors aller dépenser ta formidable énergie dans la cour. En attendant, si tu veux savoir ce qu'est le Big Bang, écoute bien. À mon avis, ça va t'intéresser. Car c'est bien plus qu'un film d'action. Cela concerne la naissance de l'Univers.

S'adressant à toute la classe, notre prof a poursuivi:
– En effet, le Big Bang est une théorie élaborée dans les années 1920, qui explique comment l'Univers a débuté. La

majorité des scientifiques se rallient à cette théorie. Avant, l'Univers était extrêmement chaud. Pas chaud comme de l'eau bouillante ni même comme la chaleur d'une flamme, non. Sa température était des milliers de milliards de fois plus élevée ! De plus, la matière de l'Univers était hyper concentrée et hyper lumineuse. Tout à coup, il y a environ 13 milliards d'années, l'Univers a commencé à s'étendre, s'étendre. Pourquoi ? On l'ignore. Mais ce qu'on sait, c'est qu'il continue aujourd'hui à s'étendre. Il est faux de penser que c'est une gigantesque explosion qui a causé l'expansion. C'est plus complexe que ça, car l'expansion de l'Univers s'est produite partout en même temps. Pour mieux vous faire comprendre ce phénomène, je vais faire une comparaison. Représentez-vous de la pâte à pain qui contient des raisins secs.

Interrompant monsieur Gauthier, je lui ai dit :
– Vous voulez parler d'un cramique ?
– Un cramique ? a demandé notre enseignant. Qu'est-ce que c'est ?
– Un pain aux raisins, lui ai-je répondu. C'est une spécialité belge.
– Ça doit être délicieux…, a fait notre gourmande nationale.
– Tu as raison, Catherine ! Surtout lorsque le cramique est tout frais et qu'on le tartine de beurre ! Mmm !

Notre enseignant a repris ses explications.
– Je reviens donc à la pâte à pain aux raisins, ou à la pâte

20

de cramique, si tu préfères, Alice. Imaginez-vous que vous êtes un raisin. Lorsqu'on met ce pain à cuire dans un four bien chaud, il commence à gonfler. Chaque raisin voit donc les autres raisins s'éloigner.

– Sniff, pauvre petit! a lancé Catherine Frontenac d'un air comique.

Eduardo a pouffé de rire. Fronçant les sourcils, Simon a questionné monsieur Gauthier:

– Mais c'est quoi le rapport entre un pain aux raisins qui cuit et l'Univers??

– Justement, j'y arrive, a répondu le prof. Notre galaxie, qui s'appelle la Voie lactée, vous vous en rappelez, est comme un raisin. Elle voit toutes les autres galaxies se distancer d'elle. Les astronomes sont capables de mesurer la vitesse à laquelle elles s'éloignent. Avant la théorie du Big Bang, on croyait que l'Univers était infini et qu'il avait toujours existé. Mais, en jouant le film à l'envers, les scientifiques se sont aperçus que l'Univers avait eu un début. Cependant, mon histoire de pain aux raisins ne s'applique pas parfaitement à l'Univers. En effet, contrairement à la pâte à raisins, l'Univers n'a pas de limite. Il « gonfle » à l'intérieur de lui-même.

Jonathan écoutait la leçon bouche bée. Je me suis discrètement tournée vers mon voisin Karim. Qui me regardait. Et à cet instant, **BIG BANG!** Le minuscule point chaud de mon cœur a commencé à s'étendre, s'étendre... Mon affection pour Karim s'est déployée comme l'Univers

avait commencé à le faire, il y a si longtemps. Et ce qui était dingue, c'est que je savais qu'à cet instant, Karim ressentait la même chose pour moi. C'était tellement fort qu'on n'affichait même pas un petit sourire, qu'on n'était même pas gênés, que, pour une fois, je ne rougissais même pas. On s'aimait, c'était l'évidence même ! À en avoir le souffle coupé.

– Alice, Karim, vous êtes dans la lune ? a dit monsieur Gauthier. Écoutez la suite.

Nos regards hypnotisés se sont détachés à regret. Nous avons suivi le restant des explications de notre prof. Ou, au moins, fait semblant de les suivre. Parce que pour moi, c'était comme si monsieur Gauthier parlait chinois. Je ne comprenais plus rien, à part le fait que je me trouvais au cœur du BIG BANG de l'amour. WOW !

Lorsque la cloche a sonné, j'ai jeté un discret coup d'œil à mon voisin de pupitre, mais il était occupé à ranger ses affaires dans son sac. En sortant de la classe, Marie-Ève m'a dit qu'elle partait chez son père. Moi, j'ai rejoint Caro dans le couloir. Juste avant de sortir, j'ai regardé derrière moi, mais non, Karim n'était pas là.

17 h 46. Bon, papa vient de rentrer à la maison. Il invite tout le monde à aller admirer notre mini-fourgonnette flambant neuve. J'y vais donc de ce pas, cher journal. Je te reviens juste après !

18 h 04. Même si notre fourgonnette rouge n'a rien de la Ferrari de ses rêves (à part la couleur), poupou est très

content. Après avoir attaché son Bichon dans son siège de bébé, il nous a lancé :

– Venez, on va l'essayer.

– On va où ? a demandé Caroline.

– Tout simplement faire le tour du pâté de maisons.

On est montés à bord. Ça sentait bon le matériel neuf. Et quel espace ! On était comme dans un palace roulant. Enfin, j'exagère. C'est quand même pas la limousine de Lola Falbala ! Mais comparé à notre ancien tacot, c'est le luxe. Le paternel a démarré.

Caro a fait remarquer :

– Y'a pas d'écran télé…

– Non, mon chaton, a dit papa. Pas dans le modèle de base. Mais la radio fonctionne ! (Celle de notre vieille auto avait rendu l'âme depuis des mois…) Et le son est excellent. Écoutez ça !

– J'aime cette chanson, a déclaré maman. Elle me donne envie de danser. C'est Lila Balabambam ?

– Ben non ! a répondu Caro. C'est Lady Gaga qui chante *Paparazzi*.

LILA BALABAMBAM !!! Je suppose que moumou voulait parler de Lola Falbala… Non seulement elle est distraite, mais quelle imagination débordante ! Cette fois, elle s'est surpassée ! Toutes les trois, on a repris en cœur le refrain *Papa, Paparazzi*… Zouzou aussi appréciait cette chanson ! Elle m'écoutait et me fixait du regard, tout émerveillée, comme si elle assistait à un concert de Lady Gaga en personne !

La chanson finie, papa a éteint la radio. Il nous a expliqué :

– Notre nouveau véhicule nous permettra d'aller skier, l'hiver. Et en été, ce sera désormais possible de faire du camping.

– YÉÉÉÉÉ ! s'est-on écriées ensemble, Caro et moi.

Enfin ! Depuis le temps qu'on en rêve, de loger sous une tente !

– Avec Zoé ? a demandé Caroline.

– Bien sûr, a répondu papa en se stationnant devant chez nous. Le Bichon aussi fera partie de l'aventure.

Comme si notre bébé chéri avait compris, elle a déclaré à son tour :

– Yé, yé, yé !

boum !
boum !

20 h 41. À part ça, cher journal, ce n'était pas un mirage, ce qui s'est produit tout à l'heure, lors de la leçon sur le Big Bang. Dès que je pense à Karim, mon cœur se met à battre plus fort. Ça doit être ça, être amoureuse. Je suis amoureuse de Karim Homsy. Incroyable…, mais vrai. Et merveilleux. Et intimidant, je t'avoue… En effet, Karim est mon ami depuis des années, mais, tout à coup, c'est comme si je ne le connaissais plus vraiment. Bon, il faut que je pense à autre chose sinon je ne parviendrai jamais à trouver le sommeil, ce soir. Je vais commencer le tome 2 de la collection *Passion équitation* que m'a passé Marie-Ève. Passion… (Profond soupir…)

boum
bour

Samedi 5 juin

9 h 08. Je m'ennuie de Karim. Je ne sais pas comment je vais faire pour attendre encore 2 jours avant de le revoir. Quel supplice! Afin de faire passer le temps, j'ai décidé d'emporter le roman de Marie-Ève au fond du jardin. J'ai en effet pris l'habitude de m'allonger devant la haie et le petit parterre de pensées que j'ai plantées sur la «tombe» de Grand-Cœur. Je me sens bien, là, près de lui. Évidemment, je préférerais 100 000 fois que mon chat soit vivant et à mes côtés. Enfin, vu la situation, je lui tiens compagnie comme je peux.

10 h 22. Je terminais le chapitre 6 quand j'ai pensé à Karim. Que faisait-il en ce moment? C'est alors que ma mère est sortie de la cuisine. S'approchant à grands pas, elle m'a tendu le téléphone en me disant:
– Tiens Biquette, c'est pour toi.
– C'est Marie-Ève?
– Non, Karim.
Oups! Je lui ai arraché le téléphone des mains.
– Allô! Attends un instant, s'il te plaît.
J'ai filé dans ma chambre. Zut! Caro s'y trouvait! J'ai redescendu l'escalier au pas de course jusqu'au sous-sol. J'ai fermé la porte.

La gorge nouée, j'ai répété:
– Allô!

– Salut Alice ! a répondu Karim. Je te dérange ?

– Non, pas du tout !

J'ai failli dire « Au contraire ! », mais je me suis retenue. Mon cœur battait si fort que Karim devait l'entendre à l'autre bout du fil.

– Tu as l'air essoufflée.

– Oui, enfin, non… Non, non, ça va.

– J'ai eu ton numéro de téléphone par Catherine Provencher.

– Ah bon !

– Tu es occupée ?

– Nooon.

– Écoute, j'ai hâte de te revoir lundi. Je te donne mon numéro de téléphone, si jamais tu veux m'appeler, OK ?

– OK.

D'une main tremblante, j'ai noté le numéro de Karim.

– Alors bye, Alice, et bonne journée.

– Bye.

Il a raccroché. Moi, hébétée, je tenais le téléphone à la main. Puis, j'ai raccroché à mon tour. Ce n'était pas possible ! ! ! Karim m'avait appelée et c'était tout ce que j'avais trouvé à lui dire ? ! C'était navrant ! Comme une idiote, j'étais restée figée. Complètement bloquée. Mon quotient intellectuel avait chuté de 120 à 3. Mais pourquoi ? D'habitude, je ne suis pas timide. Même Zoé aurait mieux fait que moi. Sans compter Caro, qui, elle, a toujours des tas de choses à raconter à Jimmy, son amoureux… Karim a dû penser que je ne l'aimais pas. Que je ne voulais plus rien savoir de lui et que je n'avais pas envie qu'il m'appelle. Que, lundi, je lui dirais un «bonjour» distant et que voilà, c'était fini entre nous. Je m'en voulais tellement! Je suis remontée dans ma chambre pour t'écrire, cher journal.

J'aurais voulu pouvoir revenir en arrière afin d'effacer ces deux minutes *si* embarrassantes. Et remplacer le dialogue le plus banal de toute l'histoire de l'humanité par un joyeux:

— Allô Karim!
— Salut Alice! Je te dérange?
— Pas du tout! Au contraire, je suis heureuse de t'entendre. Je m'ennuyais de toi! Depuis hier, je n'arrête pas de penser à toi.
— Moi aussi, figure-toi!
— Tu avais mon numéro de téléphone?
— Non, alors j'ai appelé Catherine Provencher qui me l'a donné. As-tu envie qu'on se voie cet après-midi?
— Écoute, ce serait tellement cool!
— Tu veux qu'on aille au cinéma?

Et moi, je me faisais tout mon cinéma. Je nous imaginais assis dans nos fauteuils, partageant un sac de pop-corn, en train de regarder…? Enfin, peu importe le film qu'on irait voir. On serait bien, comme ça, tous les deux, et on voudrait qu'il dure longtemps, longtemps, ce film.

Dur retour à la réalité. Malheureusement, nous ne sommes pas dans un film de science-fiction avec

Kevin Esposito. Dans la vraie vie, il n'existe pas de bouton *REWIND* pour rembobiner le temps. Et Karim qui est si gentil… Que va-t-il penser de moi ? Que je ne sais pas ce que je veux ? Que je suis nulle ? Ça, il aurait raison, je suis 100 % NULLE ! Déjà que je suis nulle au basketball, au volleyball et au ballon chasseur… Je suis nulle aussi en anglais. (Même si ça, je ne pense pas que ce soit quelque chose d'inné. C'est dû au fait que j'ai Cruella comme prof.) Et je serais nulle en amour ? Sniff ! j'espère que non, ce serait dommage. J'aime les belles histoires d'amour et je voudrais en vivre une avec Karim. Une histoire d'amour qui me mettrait plein d'étoiles dans les yeux et ferait battre mon cœur de bonheur et non de stress. Une histoire d'amour avec le lumineux sourire de Karim, des soirées au téléphone, la complicité, des fous rires partagés. Tiens, quand j'y pense, Alice Aubry et Karim Homsy, ça rime !

Alice Aubry aime Karim Homsy,
Karim Homsy aime Alice Aubry,
Pour toute la vie !

Pour elle, le jour de la Saint-Valentin,
Il avait gravé un cœur dans l'écorce de l'érable.
Depuis, ils se tiennent par la main.
Ils regardent dans la même direction
Et leur cœur bat à l'unisson.

Bon, l'amour me rend complètement nunuche… Heureusement que je ne dois pas remettre cette poésie super quétaine à monsieur Gauthier! Ni la lire devant la classe. Ce serait presque aussi terrible que de réciter le « poème » que m'avait inspiré Gigi Foster! De toute façon, je viens de TOUT gâcher. Je te laisse, cher journal, j'ai juste envie de pleurer.

13 h 45. Ce midi, maman a remarqué que je n'étais pas en forme et que je n'avais pas faim, même si papa avait fait des grillades sur le barbecue. Craignant que je couve un virus, elle a couru chercher l'échinacée dans l'armoire à pharmacie. Puis, elle m'a dit :
– La fin de l'année scolaire approche, Biquette, et la fatigue se ressent. Si tu t'installais sur la chaise longue à l'ombre du lilas ? Tu pourrais relire une de tes BD des *Zarchinuls*, par exemple.

Elle est gentille, ma mère, mais me plonger dans une histoire hilarante était bien la dernière chose dont j'avais envie !

15 h 09. BIQUETTE! Je viens de me rappeler que ma mère m'a appelée « Biquette » en me passant le téléphone, ce matin. Karim a certainement entendu ce qu'elle a dit! La honte!!! J'ai envie de m'arracher les cheveux. Mais je me retiens : j'en ai déjà si peu...

18 h 23. J'ai passé l'après-midi à me morfondre. J'ai bien essayé de continuer mon roman, mais je relisais toujours la même phrase. Ensuite, j'ai mis mon disque de Lola Falbala. Je l'ai arrêté au bout de la 3e chanson. En effet, au lieu de me distraire, ses mélodies d'amour retournaient le couteau

dans la plaie. Puis, il y a cinq minutes, ça a fait TILT. Je *devais* téléphoner à ma meilleure amie et lui raconter ma mésaventure ! Elle ne sait même pas ce qui est survenu hier, lors de la leçon sur le Big Bang. Comment n'y avais-je pas pensé plus tôt ? ? ? J'ai composé le numéro de téléphone de Marie-Ève à Ottawa. Malheureusement, je suis tombée sur le répondeur. Elle et son père étaient peut-être partis au cinéma pour la soirée. J'ai laissé un court message. J'espère que ma meilleure amie me rappellera ce soir.

21 h 15. À l'heure qu'il est, Marie-Ève ne me passera plus de coup de fil. Bon, je vais me coucher. J'ai le cœur raplapla.

Dimanche 6 juin

Finalement, Marie-Ève m'a appelée ce matin. Elle n'avait pas pu me téléphoner hier soir parce qu'il était trop tard à l'heure où elle et son père sont rentrés.
– On est d'abord allés manger des pâtes dans un resto au bord du canal Rideau, m'a-t-elle raconté. Puis, on a vu un feu d'artifice au lac Dow. C'était spectaculaire ! À propos de spectacle, j'ai invité papa à venir voir notre pièce de théâtre à l'école. Il a accepté. Si tu savais comme ça me fait plaisir ! Mais toi, Alice, comment vas-tu ? Tu avais une drôle de voix, hier, sur le répondeur. Tu semblais découragée.
– En effet, et je le suis toujours. Attends un instant, que je me connecte à Skype.

Je me suis enfermée dans le bureau. Moins d'une minute plus tard, Marie-Ève est apparue sur l'écran de l'ordi.

– Qu'est-ce qui ne va pas ? s'est-elle inquiétée. On dirait qu'il y a eu une catastrophe !

– C'est à peu près ça. Mais pour que tu comprennes, je dois commencer par le début.

Je lui ai raconté tout ce qui était survenu depuis mardi et ensuite, le Big Bang de vendredi. Marie-Ève m'a écoutée attentivement, sans m'interrompre. Lorsque j'ai eu fini, elle s'est exclamée :

– C'est follement romantique ! Si monsieur Gauthier se doutait de ce qui se passe en classe pendant ses leçons sur les mystères de l'Univers… Et maintenant, qu'est-ce que tu ressens quand tu songes à Karim ?

– Mon cœur devient tout chaud. Il se met à galoper comme un cheval de course.

– Et quoi encore ?

Mon amie me faisait penser à un médecin qui cherche à établir un diagnostic. J'ai réfléchi un instant avant de lui répondre :

– Des fois, pendant un quart de seconde, je ressens un léger vertige…

– Alice Aubry, tu es *vraiment* amoureuse ! a conclu Marie-Ève. C'est évident !

Il faut dire qu'elle a déjà connu ça avec Simon. Du moins, avant qu'il n'attrape cette stupide gastro-entérite.

– C'est stupéfiant, non ? ai-je dit.

– Oui ! Ou plutôt non, pas du tout. C'est même naturel.
Depuis que Karim est arrivé à l'école, en 1re année, vous
avez toujours été complices. Le plus étonnant, c'est que
ce fameux Big Bang n'ait pas eu lieu plus tôt. Mais alors,
quelle raison as-tu d'être déprimée ? ? ?
– En fait, entre Karim et moi, ce serait merveilleux si
je n'avais pas fait preuve de tant de maladresse… Oh,
Marie-Ève, je le regrette tellement !
– Que s'est-il passé ? !

Je lui ai parlé du coup de fil désastreux d'hier ainsi que du
restant de la journée, qui avait été super meuh meuh. Mon
amie n'a pas ri et ne m'a pas non plus traitée de nouille. Elle
s'est montrée compréhensive. Selon elle, c'était normal, ce
qui était arrivé. Elle m'a conseillé d'appeler Karim, de lui
expliquer qu'hier, sous le coup de l'émotion, j'étais presque
devenue muette. C'était une bonne idée, mais je lui ai dit
que je ne m'en sentais pas capable.
– Je préfère attendre demain et voir comment il va réagir,
ai-je ajouté. Encore que je risque de rougir quand je le
verrai, et d'empirer les choses… Et puis, il s'est peut-être
senti blessé dans son amour-propre ? Oh, Marie-Ève,
imagine-toi si, entretemps, il a téléphoné à Africa, avec
qui il s'entend très bien également. Elle, j'en suis sûre, lui
aura répondu avec enthousiasme. À l'heure qu'il est, il se
promène peut-être avec elle au parc, main dans la main…
– Écoute Alice, si au moment où on se parle, Karim se
balade main dans la main avec Africa, c'est que tu as rêvé,
hier, et que ce Big Bang n'était pas réciproque. Lorsqu'on

est amoureux de quelqu'un, on ne change pas d'avis comme ça, CLAC, parce qu'il s'est passé un petit truc de rien du tout. C'est profond, tu sais, l'amour !

Ça m'a fait du bien que Marie-Ève me secoue un peu. Mais dois-je vraiment la croire ? Car, quand j'y pense, elle affirme exactement le contraire de ce qui s'était passé pour elle avec Simon. Elle a dit : « Lorsqu'on est amoureux de quelqu'un, on ne change pas d'avis comme ça, CLAC, parce qu'il s'est passé un petit truc de rien du tout. » Et pourtant, juste avant la Saint-Valentin, elle n'a plus voulu de Simon parce qu'il avait été malade, le pauvre ! Bon, peut-être que, pour elle, vomir, c'était pas un petit truc de rien du tout, mais un GROS truc qui lui avait coupé toute envie de l'aimer ?

20 h 53. Pour lundi, on a un poème de Louise Dupré à connaître par cœur. Même si je le trouve magnifique, ça m'a pris trois fois plus de temps que d'habitude à l'étudier. J'avais beau relire les mots, pas moyen de les retenir parce que je pensais à Karim. J'ai finalement réussi à mémoriser cette poésie, mais j'espère que je m'en souviendrai encore demain.

Lundi 7 juin

Ce matin, j'attendais nerveusement sous l'érable de la cour. Je guettais à la fois l'arrivée de Marie-Ève et celle de Karim. Tout à coup, j'ai vu arriver ce dernier et mon cœur a bondi. Karim aussi avait dû me repérer, car il a traversé la cour en marchant droit vers moi. Bon, au moins, il ne faisait pas semblant de m'ignorer. C'était déjà ça.

– Salut Alice !

– Bonjour Karim ! Comment ça va ?

– Bien, mais tu ne m'as pas appelé, finalement. Tu n'en avais pas envie ?

– Oh oui ! (Soupir.)

– Pourquoi tu ne l'as pas fait, alors ?

Haussant les épaules, je lui ai fait un sourire un peu triste.

– Tu n'as pas osé, c'est ça ? m'a-t-il demandé doucement. Voudrais-tu que moi je te téléphone ce soir ? Ou tu préfères que je laisse faire ?

– Oh si, appelle-moi ! lui ai-je dit.

– D'accord, a répondu Karim. À 20 h, ça te va ?

Gigi Foster

GRRR.

La tête de Gigi Foster a surgi derrière le tronc de l'arbre.

– Salut, les amoureux ! a-t-elle dit en s'esclaffant.

Oh non, pas elle !!! Karim s'est tourné vers mon ennemie publique n° 1. Il lui a lancé :

– De quoi tu te mêles, Gigi ?! Cesse d'espionner les gens !

S'adressant à moi, cette chipie a continué :

– Hey, je l'avais bien vu que Karim te tournait autour. Je ne comprends d'ailleurs pas pourquoi. Ce ne sont pourtant pas les belles filles qui manquent, en 5e et en 6e. Quelle idée de sortir avec la p'tite maigrichonne de la 5e B !

J'ai baissé la tête, mais Karim, lui, fulminait.

– C'est quoi, ton problème, Gigi ?! Alice n'est pas maigrichonne, elle est mince. Et c'est la fille la plus mignonne de l'école ! Tu es jalouse, ou quoi ?

Marie-Ève est arrivée, Gigi (alias JJ) Foster s'est éclipsée, puis la cloche a sonné. Karim m'a fait un clin d'œil. Il a empoigné son sac et s'est dirigé vers l'escalier.

– Qu'est-ce qui se passait, avec Karim et Gigi ? m'a demandé ma meilleure amie.
– Pfff… elle m'embêtait comme d'habitude. Karim a pris ma défense.
– Et entre lui et toi…, ça va ?
– Ça va *TRÈS* bien, merci.
– Cool ! s'est écriée Marie-Ève.

Elle est chou, ma meilleure amie, de prendre mon histoire de cœur tellement à cœur !

C'est super, on dirait que tout s'arrange ! Il faut dire que je n'ai aucune expérience en amour. Je vais apprendre. Avec Karim, je crois que ce ne sera pas difficile. Ces jours-ci, j'ai appris la leçon n° 1 : être amoureuse, c'est un peu comme grimper et redescendre les montagnes russes à une vitesse vertigineuse. On est soit super heureux, soit très malheureux. Bref, ce n'est pas de tout repos… Aujourd'hui, je ne suis plus du tout démoralisée. « La fille la plus mignonne de l'école », a dit Karim. Je plane, je plane ; je suis au nirvana ! Je te laisse, cher journal, car je ressens une IRRÉPRESSIBLE envie de sauter sur mon lit. Même si les ressorts du sommier vont grincer à mort, maman n'entendra rien, puisqu'elle est partie au marché avec Zoé. Hé, hé, profitons-en !

19 h 04. On vient de terminer le repas. À table, j'avais tendu le poivre à papa qui me demandait de lui passer le pain. Il m'a lancé :

– Eh bien, ma puce, tu es vraiment dans la lune, ces derniers temps ! Tu as l'amour en tête ?

Je me suis sentie rougir jusqu'à la racine des cheveux. J'ai haussé les épaules en disant :

– Ben non, voyons !

Bon, je file sous la douche. Parce que dans **54 minutes + 30 secondes**, j'ai un rendez-vous téléphonique avec Karim. C'est moi qui décrocherai, cette fois. Sinon, maman pourrait avoir la puce à l'oreille si Karim, qui ne m'a jamais appelée, me téléphone deux fois en deux jours. Je ne veux pas qu'elle se doute que sa fille a « l'amour en tête », comme dit papa. Déjà qu'elle a une fille – Caro – qui a un amoureux depuis la maternelle et que ça n'a jamais eu l'air de la déranger. Mais bon, pour moi, c'est nouveau. Je tiens à garder le secret.

19 h 36. De retour à ma chambre, en pyjama. En me savonnant, j'ai repensé à cette affaire de « maigrichonne ». J'en ai marre que JJ Foster me traite de la sorte. En sortant de la douche, je me suis plantée devant le miroir, histoire de m'examiner une fois pour toutes. Mes cheveux sont maigrichons, ça d'accord. Et moi, le suis-je tout autant ? En fait, oui, elle a un peu raison. Mais, puisque Karim trouve que je suis la fille la plus mignonne de l'école, alors, ça me va. Son avis compte un million de fois + que celui de mon ennemie publique n° 1 !

Comme mon vernis à ongles était écaillé depuis des siècles (ou presque…), j'en ai profité pour me faire une manucure. J'ai enlevé le restant avec du dissolvant et je m'en suis mis du nouveau. Je n'ai qu'un vernis, d'un joli rose, mais au moins, ce sera plus *glamour* comme ça. Et tant qu'à y être, j'ai aussi verni mes ongles d'orteils. Avec mes sandales, ça fera beaucoup plus beau ! Impossible de parler à Karim dans ma chambre, puisque Caroline s'y trouvait. Je suis descendue au sous-sol avec le téléphone. Pour m'installer sur le sofa. Comme ça, j'étais prête à répondre à l'appel de mon amoureux.

20 h 34. À 19 h 57, lorsque le téléphone a sonné, j'ai sursauté comme si j'avais été électrocutée. J'ai décroché et, de ma plus belle voix, j'ai dit :

– Allôôô…

– Bonsoir, a répondu une voix féminine. C'est Caroline ?

– Non, c'est Alice.

– Bonsoir Alice, Sabine Weissmuller à l'appareil. Ton papa est-il là ?

– Oui madame, je vais vous le passer.

Scrogneugneu de scrogneugneu ! La chef de mon père n'aurait pas pu choisir un autre moment pour l'appeler ?! J'ai foncé au salon pour remettre le combiné à papa. Et Karim qui allait téléphoner d'un instant à l'autre… Papa prendrait la seconde ligne et lui dirait de rappeler plus tard… Mon ami risquait de se décourager et de ne plus jamais me donner un coup de fil…

En passant devant la cuisine, j'ai aperçu le cellulaire de mon père sur le comptoir. Pourquoi elle ne le contactait pas sur son cell, Sabine Weissmuller ? TILT ! C'est moi qui allais l'utiliser. Je suis allée chercher le numéro de téléphone de Karim dans ma chambre. Il faut avouer que, parfois, ça a du bon d'avoir de l'ordre… J'ai piqué un sprint au sous-sol avec ce bout de papier et le cell de papa. J'ai composé le numéro et c'est Karim qui m'a répondu. Cette fois encore, j'étais essoufflée, mais je lui ai expliqué pourquoi. Lui m'a raconté qu'il s'apprêtait à me téléphoner lorsque la sonnerie avait retenti. Et c'était moi ! Bref, on a parlé pendant une demi-heure et on a beaucoup ri aussi. Je me sens bien avec Karim ! Bon, je te laisse, cher journal. Avant de me coucher, il me reste encore « mon rôle » à apprendre pour demain, pour la répétition de notre pièce de théâtre. Heureusement, ce ne sera pas très long. Cet idiot de Gontrand n'a que deux répliques bébé fafa.

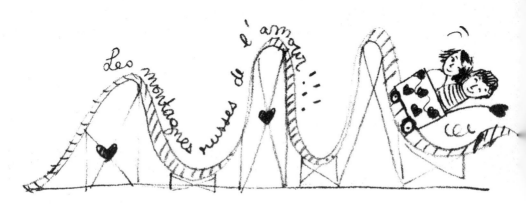

Mardi 8 juin

Depuis ce matin, Jonathan porte des lunettes. Ou plutôt, Jonathan *portait* des lunettes. Car, à la récré, il s'est bagarré avec Ludovik et Youssef, deux gars de 6ᵉ. Résultat : sa monture est « complètement naze », comme il dit…

Même si Éléonore m'énerve parfois avec ses grands airs, je dois reconnaître qu'elle joue très bien le rôle de Stella. Elle le connaît presque par cœur. Ce beau rôle que j'aurais tant aimé avoir, sniff… En fait, rien ne m'empêche de l'apprendre moi aussi. Je vais demander à Caro si ça lui tente de me donner la réplique, pour m'aider à le retenir plus facilement.

16 h 52. Ma sœur est d'accord pour me faire répéter le texte de Stella. Elle a même voulu qu'on s'y mette tout de suite. Elle lit bien les autres rôles, avec la bonne intonation.
– J'ai tellement hâte d'être en 3ᵉ ! m'a-t-elle déclaré.
– Pourquoi ?
– Ben, pour être grande. Et puis, pour pouvoir jouer dans une pièce de théâtre, moi aussi.
(En effet, le spectacle des 3ᵉ et 4ᵉ années a lieu le 17 juin, la veille du nôtre).

17 h 25. Je suis descendue à l'ordi pour aller voir mes messages. J'en avais deux. Le premier de Jade. Et l'autre de… Lola Falbala ! Craignant d'être victime d'un mirage, j'ai cligné des yeux. Mais oui, c'était bien indiqué LOLA FALBALA. Je n'en revenais pas ! Oh, j'avais peut-être remporté le concours ! J'ai ouvert son courriel. Il était en anglais. Je l'ai imprimé et collé ici. En effet, ça n'arrive pas tous les jours de recevoir un message de sa chanteuse préférée !

De : Lola Falbala
Envoyé : June, 8
À : Alice Aubry
Objet : My dog's name

Dear Alice,
Thank you so much for answering my request. I received 16 483 replies, for a total of 3 977 different names ! As you can imagine, it was hard to decide – even with the amazing filing job my secretary did. The name I found the most original was *Lol-e-pop* (Lol for Lola, e as in e-mail and pop as in pop star). But there was another name I found irresistible : *Chicco*. And since I couldn't bring myself to decide between the two, I'm calling my dog *Chicco-Lol-e-pop*. It's not the name you suggested but I so appreciate your participation. You'll be able to watch *Chicco-Lol-e-pop* grow up on my site. Every week you'll find new photos ! Just click on the *Lola's Chihuahua* tab.

Until soon, on my (dog) blog ! ☺
Lola Falbala

Dear Alice, oui, ça j'ai compris, c'est bien moi! J'ai essayé de déchiffrer le reste, mais je n'ai pas pu traduire grand-chose, à part le fait qu'elle appellera son chien *Chicco-Lol-e-pop*. Et, du coup, que Marie-Ève et moi, on n'avait pas gagné le concours. Sniff… adieu, billets pour son spectacle… Malgré tout, j'étais curieuse : je voulais savoir exactement ce que Lola Falbala m'écrivait. Maman, qui avait rendez-vous chez D^{re} Séguin avec Zoé, n'était pas encore rentrée. À l'heure qu'il était, Marie-Ève n'était certainement pas arrivée chez elle, elle non plus. J'ai téléphoné à papa au bureau, mais je suis tombée sur son répondeur. Je ne pouvais pas attendre… Qui était bon en anglais, dans ma classe? Éléonore, Audrey, Karim, Patrick et Catherine Provencher.

J'ai retrouvé la liste des numéros de tél. des élèves de ma classe. Aucun d'eux n'était là, il ne me restait plus que Patrick à appeler. C'était la 1re **fois** que je lui passais un coup de fil. Il a répondu au bout d'une sonnerie. Quand je lui ai expliqué de quoi il s'agissait, il m'a dit :
– Tu devrais demander à Fatalité de t'aider, jeudi.
– Tu appelles madame Fattal, Fatalité?!
– Ben oui! Pas toi?
– Euh! non. Mais je voudrais tout de suite traduire ce texte. Et puis, tu sais que madame Fattal ne m'aime pas.
– Justement, c'était pour ça que je te le disais. Hi! hi! hi!, c'était une blague!!!
Ouuuh, quelle blague… Et dire que je serais censée me tordre de rire…

41

– Ben oui, je vais t'aider ! Tiens, je viens d'ouvrir ma messagerie. Lola Falbala m'a envoyé un courriel à moi aussi.

C'était exactement le même message. Bref, Patrick et moi, on a essayé de le décrypter. Mais il y avait des bouts de phrases qu'on ne comprenait pas. Ah, j'entends papa qui rentre ! À tout à l'heure, cher journal.

20 h 08. Me voici enfin de retour avec la traduction du courriel de Lola Falbala. Mon père a tout de suite accepté de s'y mettre. Avec moi. En effet, il m'a dit :
– Viens, on va le faire ensemble. Ce sera un bon exercice pour toi.

Pfff… je ne m'attendais pas à ce que ce courriel se transforme en leçon d'anglais ! Tout de suite après, on a soupé. Et me voilà prête à recopier la traduction :

Chère Alice,
Un grand merci d'avoir répondu à mon appel. J'ai reçu 16 483 propositions regroupant 3 977 noms différents. Même si ma secrétaire les a classés, comme tu peux te l'imaginer, ce n'était pas facile de choisir ! Le nom le plus original, selon moi : Lol-e-pop (Lol pour Lola, e comme dans e-mail et pop pour Pop Star). Mais il y en avait un autre que je trouvais irrésistible : Chicco. Comme je ne parvenais pas à me décider, mon chien s'appellera « Chicco-Lol-e-pop ». Ce n'est pas le nom que tu avais proposé, mais je te remercie de tout mon cœur d'avoir participé.

42

Tu pourras voir Chicco-Lol-e-pop grandir sur mon site. Il te suffira de cliquer sur l'onglet « Le chihuahua de Lola ». Tu y trouveras chaque semaine de nouvelles photos !

À bientôt, sur mon blogue !
Lola Falbala

Sur lola-falbala.com, j'ai appris que le nom *Chicco* avait été proposé 18 fois. Lola Falbala a tiré au sort. C'est finalement un fan vivant à Denver (aux États-Unis) qui a remporté les deux billets pour assister à un concert de la star. Et une fan de Vancouver (Canada) a reçu le même prix. C'est elle qui avait imaginé le nom *Lol-e-pop* qui a tant plu à Lola. J'aurais bien aimé être à la place des gagnants !

Bon, il me reste un devoir de grammaire à faire. Et après ça, je vais me coucher. À demain, mon beau journal bleu !

Chicco-Lol-e-pop, trop cute !

Mercredi 9 juin

Ce midi, à la cafétéria, j'ai ouvert ma boîte à lunch. Maman m'avait mis de la salade de riz avec des petits pois, des morceaux de jambon et de la mayonnaise. Ce n'est pas mon dîner préféré, loin de là. Mais mon estomac criait famine. Assis au bout de la table, Patrick s'est mis à faire des rots pour se rendre intéressant.

Kelly-Ann Garraud, une copine de 5e A, a protesté. Comme il recommençait, je lui ai lancé :
– Arrête Pat, c'est répugnant !

Lui tournant le dos, j'ai repris ma discussion avec Marie-Ève, Africa, Kelly-Ann et Bohumil.

J'ai été prise d'une envie subite d'éternuer. Le problème, c'est que je venais d'enfourner une cuillerée de salade de riz. Aa… aaa… TCHOUM ! Comme je n'avais pas eu le temps de couvrir ma bouche, au moins dix grains de riz, deux petits pois, un dé de jambon, le tout enrobé de mayonnaise, ont été propulsés devant moi. Quelle explosion ! Bohu fixait d'un air écœuré le petit pois gluant qui avait atterri sur sa salade au thon. Quant à la pauvre Africa, elle avait des grains de riz plein les tresses ! Hyper gênée, je me suis excusée. C'est alors que Catherine Frontenac a pouffé de rire. J'ai explosé à mon tour et, en moins de temps qu'il ne faut pour le dire, le fou rire s'était propagé à toute la tablée !

Manque de chance, c'était Cruella qui surveillait la café-téria, ce midi. TIC-TIC-TIC-TIC-TIC, elle a fondu sur moi comme un aigle sur sa proie. De sa voix aigüe, elle s'est écriée :

– Tu exagères, ma fille ! Suis-moi chez le directeur !

Du coup, j'étais refroidie. Tandis que je me levais, Karim m'a lancé un regard compatissant.

La porte du bureau de monsieur Rivet était fermée. Crucru a frappé trois petits coups nerveux.

– Entrez ! a dit notre directeur.

Assis à son bureau, il mangeait un sandwich.

– Bonjour, madame Fattal, bonjour Alice. Que se passe-t-il ?

– Alice Aubry fait le pitre ! Elle perturbe l'heure du repas !

– Merci, je vais m'en occuper. Je vous laisse retourner auprès des élèves.

– Cette fille enfreint une fois de plus le code de vie de l'école, monsieur Rivet ! On dirait qu'elle n'a jamais lu l'article 20 sur le comportement à table ! Elle crie sur les autres, mange comme un cochon et hurle de rire. Si j'étais vous, je lui ferais recopier 100 fois cet article !

– La cafétéria est sans surveillance, lui a rappelé le directeur. Allez retrouver vos élèves, je vous prie. Je vais régler le cas d'Alice.

Après m'avoir jeté un regard assassin, Cruella a pivoté sur ses talons.

Monsieur Rivet a écouté ma version des faits. Quand j'ai eu terminé, il a dit :

– Bon, ce sont des choses qui arrivent, Alice. Retourne à table, mais essaie de ne plus te faire remarquer par madame Fattal.

NE PAS SE FAIRE REMARQUER PAR MADAME FATTAL ? ? ?

Mission impossible, lorsqu'on s'appelle Alice Aubry... Existe-t-il un mot pour désigner le contraire d'un chou-chou ? Non ? Alors, j'en invente un : un **shpoutz**. Oui, c'est exactement ça, je suis la « shpoutz » de Cruella. L'élève qu'elle déteste, qu'elle méprise, qu'elle harcèle, qu'elle rêve d'écraser sous la semelle de sa chaussure, comme un vulgaire perce-oreille. C'est dingue, mais elle me prend carrément pour une graine de voyou ! Au moins, j'ai échappé à la punition qu'elle aurait aimé m'infliger ! ! ! J'aime mille fois mieux avoir mal au poignet à force d'écrire des pages et des pages dans mon journal intime que de recopier les articles du code de vie de l'école, comme Crucru me l'a déjà fait faire, d'ailleurs ! Ça, c'est vraiment mortel.

Alors que je traversais la cafétéria pour regagner ma place, Gigi Foster m'a dévisagée, la bouche grande ouverte (et pleine de broches). J'ai failli lui demander : « Tu veux ma photo, ou quoi ? ! » Mais je me suis retenue parce que Crucru me tenait à l'œil. Je suis passée derrière Éléonore qui s'est adressée à moi :

– J'ai lu l'autre jour que lorsqu'on éternue, 10 000 bactéries sont propulsées devant nous à une vitesse de 360 km/h ! Dégoûtant ! Encore heureux que je ne me sois pas trouvée en face de toi !

Haussant les épaules, j'ai été me rasseoir à côté de Marie-Ève. Elle a chuchoté :

– Miss Parfaite croit que tu le fais exprès d'éternuer la bouche pleine devant la moitié de l'école ?! Si elle craint tes bactéries voraces, elle n'a qu'à porter un masque, comme on le suggère en cas d'épidémie !

Vivement la fin de cette journée d'école mouvementée ! À la maison, deux cartes postales du Mexique nous attendaient, Caro et moi. Sur la mienne, il y avait un paysage désertique avec un cactus géant. Oncle Alex avait écrit :

Chère Alice,
J'espère que tu es en pleine forme. Steeve, Pablo et moi venons d'arriver dans l'État du Chihuahua. Prochaine destination : Ciudad Suarez, en plein désert de Chihuahua.
Je te souhaite une bonne fin d'année scolaire !
Oncle Alex

Hi ! hi ! ça me fait rire, ce nom. J'imagine un endroit plein de petits chihuahuas comme celui de Lola Falbala.

Jeudi 10 juin

En rentrant de l'école, Caro et moi, on est montées dans notre chambre. Naf-Naf traînait par terre. Alors qu'elle le ramassait, ma sœur a poussé un cri :

– OUACHE ! ! ! Son oreille est toute gluante !

Pas besoin de mener une grande enquête pour savoir qui était le ou plutôt LA coupable. Zoé, qui se déplace à quatre pattes, a commencé à se mettre debout en se tenant aux meubles. Elle avait dû se redresser contre le lit de Caro et s'emparer d'un de ses précieux cochons en peluche. Et l'avait sans doute mâchouillé… Car notre bébé chéri met tout dans sa bouche !

– Ça doit être de la bave de Zouzou, ai-je conclu.

– Dégueu ! a protesté Caroline. Mamannn ! ! !

Tenant à bout de bras l'infortuné Naf-Naf, elle a couru demander à moumou de le laver.

Vendredi 11 juin

21 h 29. Il y a une demi-heure, je lisais, confortablement installée dans mon lit. La fenêtre et la porte étaient ouvertes, pour avoir un peu d'air.

Soudain, papa, qui regardait le téléjournal dans sa chambre, a appelé :

– Astrid, viens voir !

J'ai tendu l'oreille. La journaliste parlait de crimes. Puis de Ciudad Juarez. Ciudad Juarez!!! Il s'agissait de la ville où oncle Alex devait se trouver en ce moment! Je me suis précipitée dans la chambre de mes parents. Maman, qui venait de coucher sa Prunelle, est arrivée elle aussi. Sur le grand écran de la télé, on voyait des voitures de police avec les gyrophares allumés. Ensuite, les informations ont fait place à la météo. Papa a éteint la télé.

Maman lui a demandé:
– Qu'y a-t-il, Marc?
Papa s'est adressé à moi:
– Alice, peux-tu retourner dans ta chambre, s'il te plaît? Ceci ne concerne pas les enfants.
– Peut-être pas les enfants en général, ai-je répliqué. Mais moi, *primo,* je suis une préado. Et *secundo,* j'ai le DROIT de savoir ce qui se passe à Ciudad Juarez. Il s'agit de mon oncle, après tout!
– Bon, d'accord, a soupiré papa. Ils ont trouvé trois nouveaux cadavres, là-bas.
– Des femmes? s'est informée maman.
– Non, des hommes.
– Ils connaissent l'identité des victimes?
– Pas encore. Les policiers ont découvert les corps en fin d'après-midi sur les berges du Rio Bravo. Il n'y a pas d'autres détails pour le moment.
– Ce n'est pas la première fois qu'on assassine des gens à Ciudad Juarez? ai-je demandé.

– Non, vraiment pas ! s'est exclamée maman. C'est un endroit très dangereux.

– Papa, contacte tout de suite oncle Alex !

C'est ce qu'il a fait, mais il est tombé sur le répondeur de son frère.

– Alex, c'est Marc. On vient d'apprendre qu'il y a eu d'autres meurtres à Ciudad Juarez. On veut juste s'assurer que tout va bien pour toi. Merci de nous rappeler le plus vite possible.

La sonnerie du téléphone m'a fait sursauter. C'était grand-papa. Lui aussi avait dû regarder les actualités. Maman m'a dit :

– Viens dans le salon, Alice.

On s'est assises sur le sofa. Elle a tenté de me rassurer :

– Tu sais, Ciudad Juarez est une très grande ville. Elle doit compter plus d'un million d'habitants, peut-être même deux ou trois millions. Et on ne sait pas si Alex et ses collègues sont déjà là-bas. Moi, je crois qu'ils doivent tout simplement être occupés à souper. Il est tard, ma chérie. Il faut aller dormir. Essaie de ne plus penser à tout ça. Demain, tu parleras à ton oncle sur Skype.

– Si, papa et toi, vous avez des nouvelles pendant la nuit, réveillez-moi !

– D'accord, ma grande !

Ne plus y penser, à oncle Alex, à Ciudad Juarez et à ces crimes, c'était plus facile à dire qu'à faire… Si au moins

Grand-Cœur avait été là, j'aurais pu lui confier mes craintes et caresser son poil soyeux pour m'endormir. Malheureusement, mon chat était mort et moi, je ne me sentais pas bien du tout dans mon lit. L'angoisse étreignait mon cœur. J'ai songé à ma pauvre grand-maman qui adore les romans policiers. Sauf que cette fois, il ne s'agissait pas d'une histoire, mais de la réalité. Elle devait avoir tellement peur qu'il soit arrivé quelque chose à son plus jeune fils ! J'ai commencé à répéter tout bas, un peu comme une prière : « Je ne veux pas qu'il arrive quelque chose à oncle Alex. Je ne veux pas qu'il arrive quelque chose à oncle Alex. Non, je ne veux pas ! » Malgré ça, une image de cercueil s'est faufilée dans mon esprit. Alors là, n'y tenant plus, je me suis relevée pour échapper à ce cauchemar éveillé. J'ai allumé la lampe de mon bureau et voilà, je t'ai tout confié, cher journal.

Entretemps, il est presque 23 heures… Mes yeux se ferment malgré eux. Je viens d'aller vérifier dans le couloir. La porte de la chambre de mes parents est fermée. Ils doivent dormir. Je vais essayer de faire pareil. Oh ! je voudrais tant que mon oncle téléphone ! Qu'il nous raconte que lui et ses collègues se trouvent tout simplement dans un petit resto, en train de déguster les meilleurs tacos de leur vie. Je te promets, cher journal, que je te tiens au courant dès que j'ai des nouvelles.

Samedi 12 juin

9 h 23. ONCLE ALEX EST SAIN ET SAUF! Je l'ai appris il y a quelques minutes, en me réveillant. Il avait laissé un message texte sur le téléphone de papa qui l'a lu ce matin. Lui et ses collègues se trouvent bien à Ciudad Juarez, dans un petit hôtel tenu par un couple sympathique, près d'un poste de police. Ça, c'est rassurant! Bref, quand mon père m'a annoncé ça dans la cuisine, je me suis jetée dans ses bras. J'ai pleuré un bon coup. FIOUUUUUUUU!

13 h 48. Ce midi, papa a cuisiné au barbecue. On s'est installés à la table de la terrasse. Caro traçait une ligne de ketchup sur sa saucisse lorsque le téléphone a sonné. Elle s'est précipitée. C'était oncle Alex! On lui a tous parlé sur Skype (sauf Zoé bien entendu!). Je lui ai raconté la frousse qu'on avait eue, hier soir. Il était désolé pour nous. Les victimes du triple meurtre sont des trafiquants de drogue, paraît-il. On a arrêté un suspect. J'étais soulagée. Et encore plus quand mon oncle nous a annoncé qu'après-demain, lui et ses collègues quitteront Ciudad Juarez.

Mon père a demandé à son frère:
– Quand reviens-tu à Montréal, Alex?
– Le 7 juillet.
– Cool! me suis-je exclamée. Juste avant que je m'envole vers Bruxelles! On pourra se voir?

– Bien sûr. Moi aussi, je serai content de vous retrouver et de vous raconter notre périple.

18 h 13. En fin d'après-midi, on était invités à boire l'apéro chez nos nouveaux voisins, Pierre et Michael. Ils nous ont amenés sur leur terrasse. Pierre a servi du vin rosé à mes parents. Pour Caro et moi, il y avait du Citrobulles bien glacé. Michael a apporté un plateau plein de petites bouchées. Il paraît que ça s'appelle des «tapas». C'est lui qui les avait faites. Il est cuisinier dans un restaurant espagnol.

– Avez-vous du ketchup? a demandé Caroline.

– Voyons! a dit maman. Pas encore! Tu...

L'interrompant, Michael a répondu à ma sœur:

– Bien sûr. Je vais te le chercher.

Et sans aucun complexe, Miss Ketchup a garni d'une spirale rouge son amuse-gueule au fromage de chèvre. Quant à moi, la bouchée que j'avais choisie fondait dans ma bouche... «Mmm... quel délice!» se serait exclamée Catherine Provencher. J'en ai repris une autre. Puis encore une... Pierre discutait avec mon père. Pendant ce temps, Michael et ma mère parlaient recettes.

Tout à coup, maman a déclaré:

– J'ai commencé à écrire un livre sur le tofu.

– C'est vrai?! s'est exclamé Michael. Comme c'est original!

Oh non, pas son bouquin sur le tofu... Je me suis levée pour aller aux toilettes.

Pierre m'a dit :

— Quand tu arrives dans le couloir, c'est la porte à gauche.

Leur maison est décorée dans un style très moderne. J'aime beaucoup. De retour sur la terrasse, maman avait changé de sujet de conversation. Elle admirait le jardin fleuri. Caro, qui avait apporté son yoyo géant, jouait avec… Sushi ! Le chat siamois de nos voisins sautait pour attraper le yoyo, mais ma sœur était plus rapide que lui ! Lorsque je me suis rassise, le félin s'est approché de moi. D'un bond souple, il a sauté sur mes genoux. Je ne devais pas avoir l'air très à l'aise, car Pierre m'a dit :

— N'aie crainte. Sushi est très gentil.

— Oh, Alice n'a pas peur des chats ! a déclaré papa. Nous en avons eu un pendant trois ans. Il était adorable, lui aussi.

— Sushi, qui n'a pas encore un an, a été perturbé par le déménagement, nous a expliqué Michael. Pendant dix jours, on ne le reconnaissait plus. Il était devenu agressif.

(Pauvre Grand-Cœur, il en sait quelque chose ! Ou plutôt : il en a su quelque chose, lui qui a été blessé à l'oreille par cette furie !)

Notre voisin a poursuivi :

— Heureusement, notre chat s'est vite habitué à sa nouvelle vie, rue Isidore-Bottine. Il se sent chez lui, maintenant.

J'ai commencé à caresser Sushi. J'étais un peu sur mes gardes, mais il s'est mis à ronronner. Tout ça m'a rappelé mon bon Grand-Cœur et ma gorge s'est serrée d'émotion. En effet, c'était la 1re fois que je flattais un chat depuis la mort de mon pacha à moi. Les explications de Michael m'ont donné envie de pardonner à Sushi. Tant mieux s'il était redevenu doux, maintenant.

Les adultes se sont levés pour faire le tour du jardin. Caroline les a suivis. J'ai voulu faire de même. J'ai annoncé :
– Allez hop, mon beau Sushi, on descend !
Mais **CLAC** : ses griffes se sont plantées dans mes cuisses ! (Je portais ma mini-jupe blanche.) Poussant un gémissement de douleur, j'ai essayé de lancer ce **SCROGNEUGNEU** d'animal à terre, mais il était fermement accroché à moi. Complètement paniquée, je me suis levée. Lâchant enfin prise, Sushi s'est enfui dans la maison. Mon cœur battait comme un fou. Mes cuisses, elles, étaient toutes rouges. Il y avait même trois points de sang ! Je les ai tamponnés avec une serviette en papier. Avec une autre, j'ai essuyé les larmes qui avaient roulé sur mes joues, tellement ça avait fait mal. Dire que j'avais donné une seconde chance à ce siamois ! Mais c'était FINI ! Je ne lui ferais plus confiance. (Gros soupir.) Comme si ça ne suffisait pas d'avoir une ennemie publique n° 1 à l'école (Gigi Foster)… Sans compter Cruella, mon ennemie publique n° 2 (et non la moindre !). Voilà maintenant qu'un 3e ennemi, redoutable lui aussi et muni de 18 griffes aussi acérées que des poignards, m'avait déclaré la guerre ! Et il habite à côté de chez moi… C'est vraiment pas drôle, je t'assure, cher journal !

Les maîtres de Sushi, mes parents et mes sœurs sont revenus sur la terrasse. Ils se tutoyaient maintenant.

– La prochaine fois, ce sera chez nous, a promis papa au moment où on partait.

En arrivant à la maison, Caroline a demandé :
– Pierre et Michael, ce sont des amis ou des amoureux ?
– C'est un couple d'amoureux, lui a répondu maman.
– Ah bon, a dit ma sœur.
Et, se remettant à jouer au yoyo, elle est sortie dans notre jardin.
– Ils sont vraiment sympathiques, a déclaré papa.
– Eux oui, mais pas leur chat ! me suis-je écriée.
J'ai raconté ma mésaventure à mes parents.

Voisins de ☜ gauche, voisins de droite ☞...
Michael et Pierre sont nos voisins de gauche (quand on se trouve face à nos maisons) ou de droite (si on est à l'intérieur de notre maison). Bref, ils habitent au n° 40. Mais je crois, cher journal, que je ne t'ai jamais parlé de nos voisins qui vivent de l'autre côté de chez nous, au n° 44. C'est un couple d'une trentaine d'années. Ils n'ont ni enfant, ni chat, ni chien. On ne les voit presque jamais. Et si, par hasard, on les croise, madame Banville nous salue de la main avant de s'engouffrer dans son auto (ou dans sa maison). Ce sont des gens discrets selon mes parents. Ça, c'est le moins qu'on puisse dire... Heureusement que quelques maisons plus loin, au n° 54, il y a les Baldini !

19 h 55. Caro se prépare à se coucher. Moi, j'ai rendez-vous avec Karim au téléphone. Je file au sous-sol !

20 h 38. Je viens de raccrocher. Karim et moi, on a parlé des vacances. Je lui ai expliqué que ma mamie m'invite chez elle, à Bruxelles. Lui, il partira le 24 juin au Liban. Il passera tout l'été là-bas dans sa famille. Sniff ! Neuf semaines sans le voir, ce sera long. On n'est pas encore en vacances… et j'ai déjà hâte à la rentrée !

20 h 44. Il y a deux minutes, j'étais assise sur mon lit. J'enlevais mes boucles d'oreilles. Tombant à terre, l'une d'elles a glissé sous mon lit. Je me suis penchée pour la ramasser. Mais, c'était quoi, ce truc, contre le mur ? Un long poil ? ! Dégoûtée, je m'apprêtais à me relever quand, TILT ! j'ai compris. C'était une moustache de Grand-Cœur ! Oh, mon doux pacha de chat, quelle belle surprise ! C'est comme si tu me faisais un petit coucou : « Coucou, Alice, c'est moi ! » Ça me fait un soleil dans le cœur. Merci ! Pour ne pas perdre ta moustache, je vais la coller dans mon cahier.

Grand-Cœur
je ne t'oublierai JAMAIS !

Dimanche 13 juin

Ce matin, on est allés au parc. Maman avait apporté du pain sec pour les canards. Ensuite, Caro s'est mise à faire la roue sur l'herbe. Papa a lancé :

– Dis donc, elle est parfaite, ta roue, Chaton !

Ma sœur a expliqué :

– Hier, madame Duval nous a fait faire tellement de roues que j'en avais la tête qui tournait...

C'est vrai que la prof d'éduc adore ça ! (En plus de nous faire jouer au basket et au volley, mais ça, c'est une autre histoire !) Dans notre classe, c'est Jade, la championne de la roue. Pas étonnant qu'elle soit agile ! Elle consacre plusieurs heures par semaine à la gymnastique, à son club Gymnix. Imitant Caro, je me suis élancée à mon tour. Maman a déclaré :

– Moi aussi, j'étais bonne en gym, à l'école.

– Montre-nous ça, Astrid ! a lancé papa d'un air malicieux. On va voir si tu es encore toute jeune !

Mise au défi devant toute sa famille, moumou a pris son élan.

– NONNN ! me suis-je écriée. Tu as une jupe ! On va voir ta culotte !!!

Trop tard ! En fait, sa roue était pas mal du tout pour quelqu'un qui n'en avait pas fait depuis des siècles. Papa l'a félicitée :

– Bravo mon cœur ! Tu m'épates !

– Merci, a répondu maman. Mais tu as raison, Alice, ce n'est pas pratique, avec cette jupe… Bon, à ton tour, chéri ! Prouve-nous que, comme l'équipe féminine d'acrobatie de la rue Isidore-Bottine, toi aussi tu es digne de monter sur le podium !

Dans sa poussette, Zoé, ravie, battait des mains. Quelques minutes plus tard, on est repartis vers la maison, échevelés et les joues en feu. Une fois devant chez nous, maman a plongé sa main dans la poche de sa jupe. Ensuite, elle a fouillé l'autre poche.

– Zut ! a-t-elle lancé, l'air embêté. Je suis sûre d'avoir mis la clé dans ma poche. Mais elle n'y est plus.

« Maman et sa distraction… », ai-je pensé. Enfin, pour une fois, ce n'était pas ça. Papa lui a fait remarquer :

– Elle a dû tomber pendant que tu faisais la roue.

– Bon, on fait quoi, là ? a lancé Caro. J'ai envie de pipi.

Papa a dit :

– Je retourne au parc. La clé est sûrement dans l'herbe. Alice, tu m'accompagnes ?

– D'accord.

– Moi aussi, je viens, a dit Caroline.

Je lui ai demandé :

– Tu ne devais pas aller à la toilette ?

– Si, mais ça peut attendre.

Maman nous a priés de nous dépêcher. En effet, c'était presque l'heure du dîner et Zoé commençait à s'impatienter.

On a filé jusqu'au parc. Devant le saule pleureur où, un quart d'heure plus tôt, on faisait des roues, des mariés posaient pour le photographe. Comment, dans ces conditions, récupérer notre clé de maison??? Papa a crié:

– Attendez-moi ici, les filles.

Aussi rouge que son vieux tee-shirt, trempé de sueur et les cheveux hirsutes, il s'est approché du couple d'un pas décidé. Dès qu'il est entré dans le champ de vision du marié, celui-ci s'est avancé d'un air soupçonneux. Il devait penser que papa était un drogué. Ou alors un fou. Il semblait prêt, tel un vaillant chevalier, à s'élancer sur lui pour protéger sa bien-aimée. Papa leur a dit quelques mots. Ensuite, il a examiné l'herbe à leurs pieds. Il s'est agenouillé devant la longue robe de la mariée. Se redressant aussitôt, il s'est tourné vers ma sœur et moi en brandissant notre clé d'un air victorieux. Les mariés, encore ébahis par cette apparition insolite, étaient figés sur place. Moi, j'étais super gênée! Quant à Caro, elle riait si fort que j'ai eu peur qu'elle ne fasse pipi dans sa culotte… Il n'aurait plus manqué que ça! Bref, on s'est enfuis du parc en courant. Quelques minutes plus tard, on était de retour à la maison, au grand soulagement de maman. En effet, Zouzou, affamée, était sur le point de piquer une crise. Et dès que papa a ouvert la porte, Caroline a foncé vers la toilette.

Après le dîner, maman a déclaré qu'elle s'occuperait de la vaisselle avec moi. Mais avant ça, elle voulait mettre sa Prunelle au lit. Papa a longuement bâillé. En s'étirant, il a dit:

– Moi aussi, je ferais bien une petite sieste, comme le Bichon.

Moumou lui a alors rappelé qu'il n'avait pas tondu le gazon depuis 2 semaines. Et, qu'en plus, il avait promis de me conduire chez Marie-Ève pour 14 h. Mon père s'est levé en soupirant. Puis, son visage s'est éclairé. Il a déclaré :

– D'accord, Astrid, mais dimanche prochain, je compte bien me reposer en après-midi. Et rien ne m'en empêchera, cette fois, puisque ce sera la fête des Pères. Prépare-toi psychologiquement !

– Marc, tu te moques de moi ! a dit maman en mettant tendrement sa tête sur l'épaule de son homme.

– Pas du tout, ma belle !

– À propos de la fête des Pères, a-t-il poursuivi, mes frères ne seront pas là pour l'occasion. Alex est au Mexique. Et Étienne, à qui j'ai parlé hier, m'a annoncé que lui et sa petite famille iront au Lac-Saint-Jean, rendre visite au père de Sophie. Qu'en penses-tu, Astrid, si on invitait mes parents à passer la fin de semaine avec nous ?

Sans laisser à maman le temps de répondre, Caro s'est écriée :

– Youpiii ! Ça fait longtemps que grand-papa et grand-maman ne sont pas venus ici. Et comme ça, on fêtera les *deux* papas, dimanche.

– Tu as tout compris, mon chaton !

– Ça me semble une excellente idée, a conclu maman.

La fête des Pères… L'an dernier, en 4e, on avait fabriqué un porte-crayons pour le bureau. Cette année, on n'a plus de cours d'arts plastiques. Bref, on ne prépare rien du tout pour les papas (ni pour les mamans d'ailleurs). C'est bête ! Je vais lui offrir quoi, à poupou ? Qu'est-ce qu'il aimerait le plus au monde ? Mon cerveau travaille à plein régime : c'est tout juste s'il ne fait pas *BZZZ* ! *BZZZ* ! comme l'ordi.

♥ Papa a déjà dit qu'il rêverait d'aller à Venise avec maman. Hum… un voyage en Italie pour deux personnes, ça doit valoir 1 000 000 de fois plus que l'unique dollar que contient ma tirelire… Donc, Venise et ses gondoles, on oublie.

♥ Mes parents ont acheté une mini-fourgonnette familiale, mais papa adore les voitures sport en général et les Ferrari en particulier. Ça aussi, on laisse tomber !

♥ Une BD des *Zarchinuls* ? Pourquoi pas ? Même quand papa relit un des épisodes de la série, il se tape sur les cuisses en hurlant de rire. Mais bon, c'est moi qui collectionne *Les Zarchinuls,* pas lui.

♥ Mon père est un passionné d'informatique, sauf que c'est lui qui est spécialiste dans ce domaine, pas moi.

♥ Il raffole du chocolat, surtout le chocolat belge. Mamie Juliette lui apportera certainement un ballotin de pralines au mois d'août (au cas où toi aussi tu serais distrait, cher journal, je te rappelle que les pralines sont de succulents chocolats belges). Moi, en attendant, je voudrais lui donner quelque chose d'un peu plus spécial qu'une barre de chocolat du dépanneur, à 1,29 $…

D'ici le 20 juin, il FAUT que je trouve une idée. Une bonne, et pas chère.

À peine deux minutes plus tard, le ronronnement de la tondeuse s'est fait entendre. TILT ! Je sais ce que Marc Aubry apprécierait par-dessus tout ! Et qui, en plus, ne coûterait pas un sou. Ce serait d'avoir le droit de faire une sieste le dimanche après-midi. Pas juste le dimanche de la fête des Pères, non, TOUS les dimanches, si ça lui chante. Ça a l'air niaiseux, mais chaque fois que le pauvre essaie de filer en douce pour aller s'allonger, ça ne marche jamais… Il y a toujours quelque chose à faire. De plus, maman lui répète :

– Voyons chéri ! Tu es jeune et en forme. Tu n'as pas besoin de te coucher durant l'après-midi, tout de même !

Si au moins il attrapait la grippe, il aurait le droit de passer la journée au lit. Mais, manque de chance, il ne tombe jamais malade. Imaginons que le médecin fasse une prescription comme quoi papa est un peu faible, ces derniers temps, et a besoin de faire une sieste chaque dimanche après le dîner. Ma mère ne pourrait plus rien dire. C'est décidé ! J'offrirai un papier médical à mon père ! Pas un faux formulaire que je rédigerai moi-même et qui n'impressionnerait pas moumou. Non ! Un VRAI, signé par un VRAI médecin. J'ai trouvé le numéro de téléphone de D^re Séguin, notre médecin de famille. J'espère qu'elle va accepter. Je l'appellerai demain…

J'ai passé un bel après-midi chez Marie-Ève. En rentrant, j'ai découvert Zoé à côté de sa table à langer. Elle semblait concentrée. Je me suis approchée. Quoi ? ! Elle appliquait mon brillant à lèvres à la cerise sur son meuble ! Elle a dû le trouver dans le tiroir de ma table de chevet… D'ailleurs, celui-ci était ouvert. J'en ai parlé à maman et je lui ai demandé de toujours garder la porte de notre chambre fermée. Elle a promis d'y veiller, d'autant plus que sa Prunelle aurait pu s'étouffer avec le capuchon de mon brillant à lèvres…

Lundi 14 juin

Cet après-midi, on avait notre dernière leçon de poésie de l'année. D'habitude, monsieur Gauthier nous lit un poème et nous demande de l'apprendre. D'autres fois, il faut en composer un. Mais aujourd'hui, notre prof a sorti son *BlackBerry* et des petits haut-parleurs de son sac à dos. Après avoir installé le tout sur son bureau, il nous a dit :
– Je vais vous faire écouter une poésie d'Arthur Rimbaud, interprétée par Léo Ferré. Je ne vous en dis pas plus, les amis ! On en discutera après.

Dès les premiers mots, j'ai eu le souffle coupé. Devant moi, Jonathan, qui gigote toujours sur sa chaise, avait arrêté de bouger. À ma gauche, dans l'autre rangée, Catherine Frontenac avait sorti son cahier de brouillon de son sac. Elle s'était mise à dessiner.

À la fin du poème, il y a eu un grand silence. Suivi par un retentissant BADING BADANG ! C'était la chaise de Jonathan qui était tombée quand il avait bondi sur ses pieds. En la ramassant, il s'est écrié :

– M'sieur, c'est mon poème préféré ! D'habitude, la poésie, c'est pas mon truc, mais cette fois, je trouve ça chill !

Notre enseignant avait l'air content.

– Pourquoi ? lui a-t-il demandé.

– Parce qu'il y a de l'action !

– Je suis d'accord avec Jonathan, a dit Bohumil. Ce poème a du souffle. C'est comme si je sentais le vent et le courant dans l'eau.

– Les mots coulent comme s'ils étaient emportés par des flots impétueux ! a ajouté Catherine Provencher, très inspirée elle aussi.

Éléonore a pris la parole à son tour :

– Moi, monsieur Gauthier, j'ai apprécié tous les poèmes que vous nous avez fait découvrir cette année, mais celui-ci, je le trouve un peu dégoûtant. Il parle de vomi et de noyés… Beurk !

Lançant un regard de défi à Miss Parfaite, Marie-Ève a déclaré :

– Eh bien moi, j'ai A-DO-RÉ. On peut l'écouter une deuxième fois, monsieur ?

– Avec plaisir ! a répondu notre enseignant. Je suis heureux que *Le bateau ivre* ait plu à la plupart d'entre vous ! Figure-toi, Jonathan, que moi aussi, c'est mon poème préféré !

Après le cours, j'ai demandé à Catherine Frontenac de me montrer ses croquis. Son crayon noir avait tracé des vagues, des rochers et des tourbillons. Impressionnée, je lui ai dit :

– C'est très beau. J'aimerais avoir ton talent en dessin !

– Merci Alice. Et moi, le tien en écriture.

Mardi 15 juin

Ce matin, comme j'avais enfilé mon tee-shirt turquoise par-dessus ma mini-jupe blanche, j'ai voulu mettre mes boucles d'oreilles assorties. Elles sont en argent, avec de petites pierres turquoise. Mais il n'y en avait plus qu'une sur la table de chevet. Pourtant, hier, c'est elles que j'avais portées. Et hier soir, avant de prendre ma douche, j'avais posé les deux boucles d'oreilles devant la photo encadrée de Grand-Cœur. J'ai regardé à terre, puis sous mon lit, mais elle n'était pas là non plus, ma boucle d'oreille. Zut ! C'était peut-être Zoé, la responsable. J'ai demandé à mes parents et à Caroline s'ils avaient vu ma boucle d'oreille. Non. Je suis même allée voir dans la chambre de Zouzou, mais je n'avais pas le temps de pousser mes recherches plus loin, sinon Caro et moi, on allait arriver en retard à l'école. Où a-t-elle bien pu la fourrer ? Je suis frustrée parce qu'il s'agit de mes boucles d'oreilles préférées.

FRUFRU

Ah oui, j'oubliais… Jonathan a de nouvelles lunettes. Pourvu qu'elles tiennent le coup plus longtemps que les premières !

Ça fait une semaine que je répète le rôle de Stella avec Caro quand elle a fini ses devoirs. Je le connais sur le bout des doigts, maintenant. Et le soir, en m'endormant, j'imagine que je donne la réplique à Karim. Et que c'est moi, et pas Éléonore, qu'il embrassera. Mais chuuut, cher journal ! On peut toujours rêver…

Mercredi 16 juin

Ce matin, monsieur Gauthier nous a distribué deux feuilles, une grande et une petite. Un contrôle-surprise ? Non, on a déjà eu trois contrôles depuis le début de la semaine et on aura le dernier demain. La 1re feuille était un rappel pour la sortie scolaire du 22 juin, à remettre aux parents. Quant à la petite feuille, c'était une invitation imprimée. Je l'ai précieusement rapportée de l'école et je la colle ici, cher journal.

Nous, la 5e B, nous avons travaillé très fort et ce n'est pas tout à fait fini. Mais la fin de l'année scolaire approche à grands pas. Pour souligner l'événement, je vous invite tous à venir fêter chez moi ! Où ? 59, rue Savage, app. 401, Montréal Quand ? Mercredi 23 juin, de 17 h 30 à 21 h Au programme ? Jeux, pizza, tours de magie et plaisir garanti !

Julien Gauthier

— De la magie, c'est trop cool ! s'est émerveillée Africa.

Une fête chez monsieur Gauthier ?! Incroyable ! J'ai toujours de la difficulté à m'imaginer que les enseignants, le directeur, les surveillantes et la secrétaire ont une vie en dehors de l'école. C'est sûr que notre prof adore sa Gaspésie natale. Il nous en parle chaque fois qu'il revient d'un séjour dans sa famille. (Ça me donne d'ailleurs envie de visiter cette région. TILT ! Je vais demander à mes parents si on peut aller faire du camping là-bas, cet été.) Mais à part ça, c'est dingue de penser que Julien Gauthier mène une vie «normale» à Montréal. Que, comme tout le monde, il cuisine, il se brosse les dents, il regarde la télé, il nettoie son appartement… Karim et moi, on s'est regardés et on s'est souri. Quelle belle soirée en perspective! Bien entendu, je porterai mon magnifique, merveilleux, mirobolant tee-shirt de Lola Falbala!

À la récré, on était plusieurs à bavarder sous l'érable. Éléonore est venue nous retrouver. Elle nous a expliqué:
– À la fin de l'année scolaire, on offre souvent un cadeau au prof. Comme nous avons passé une année formidable avec monsieur Gauthier et qu'en plus il nous invite chez lui, on pourrait lui en donner un. Plutôt que de lui apporter chacun un petit présent, pourquoi on ne mettrait pas notre argent en commun? Ça nous permettrait de lui acheter un très beau cadeau.

– C'est une bonne idée, a reconnu Jade. Mais quoi?
– J'avais pensé lui confectionner des truffes au chocolat, a dit Catherine Provencher. Mais avec la chaleur qu'il fait, elles risquent de fondre.
– Du savon, ça ne fond pas, a fait remarquer Catherine Frontenac.
– Les savons parfumés, c'est plus pour les enseignantes que les enseignants, a dit Marie-Ève.

– C'est sexiste, ça, comme remarque ! a rétorqué Éléonore.

Ces deux-là ne ratent pas une occasion pour se lancer des piques… Ma meilleure amie a levé les yeux au ciel.

Simon a déclaré :

– Monsieur Gauthier est passionné par le cosmos. Il existe sûrement un livre intéressant sur les comètes, les nébuleuses, les trous noirs et les astéroïdes.

– Ouais, et sur les collisions de galaxies ! a renchéri Jonathan, que ce phénomène dont nous avait parlé le prof avait apparemment frappé.

– Ou sur la Gaspésie, a suggéré pour sa part Éléonore. Il serait ravi de recevoir un livre sur sa chère région !

– Je n'en suis pas si sûre, a répliqué Marie-Ève. En effet, notre prof connaît très bien son coin de pays. À mon avis, les livres pour les touristes ne l'intéresseront pas. Et s'il existe un beau livre plein de photos de la Gaspésie, il le possède peut-être déjà. Moi, l'idée de Simon me plaît : un livre sur l'Univers.

– Ou sur la magie, a proposé Africa.

Mettant mon grain de sel dans la discussion, j'ai déclaré :

– Monsieur Gauthier doit en avoir, des livres sur la magie. Et on ne sait pas lesquels…

– Alors, un stage de magie ! s'est écriée Africa, qui a de la suite dans les idées. Un stage d'une fin de semaine avec Luc Langevin, par exemple.

– Il faut voir si ce magicien professionnel organise des stages, a dit Karim. Et puis, ça coûterait bien trop cher. Moi, je vote pour la proposition du livre sur l'Univers.

– Moi aussi, ai-je dit.

– C'est l'idée du siècle! a lancé Catherine Provencher.

– C'est vrai, a approuvé l'autre Catherine. Mais Patrick, Eduardo, Gigi et Audrey ne sont pas au courant.

Au moment où la cloche sonnait, Éléonore a promis qu'elle leur en parlerait.

Ils étaient d'accord. L'idée du livre sur l'Univers a été adoptée à l'unanimité. Demain, Éléonore apportera une enveloppe. Chacun y glissera un billet ou des pièces de monnaie pour participer à l'achat de ce bouquin. Tant que j'y pense, cher journal, je vais aller demander des sous à maman.

18 h 15. Moumou, qui aime toujours offrir des livres, trouvait la suggestion du livre sur l'Univers épatante. Elle m'a passé 20 $. Par contre, lorsque je lui ai proposé qu'on aille cet été faire du camping en Gaspésie, elle s'est montrée beaucoup moins enthousiaste.

– C'est vraiment trop loin, Biquette.

– Alors, on n'ira jamais? ai-je dit, déçue.

– Bien sûr que oui! Un jour, nous visiterons la Gaspésie en famille. Seulement, on attendra que Zoé soit un peu plus grande. Mais cet été, papa et moi, on pense aller camper en Mauricie, au nord de Trois-Rivières.

Bon, à part ça, cher journal, je devais te raconter la suite de notre journée à l'école. J'en étais où ? Ah oui, après la récré, monsieur Gauthier nous attendait en classe avec son chronomètre à la main.

– Nous allons faire un volleyball mathématique, a-t-il annoncé.

9×8

7×3 Les tables de multiplication, on les maîtrise bien, maintenant. On a formé deux équipes. On se lançait les chiffres à toute allure comme si c'était des balles. Je me disais que je préférais mille fois le volleyball mathématique au 6×4 volley tout court ! Il faut avouer que notre équipe comptait $=144$ Bohumil, notre grand champion des chiffres ! Jonathan, lui, lançait la réponse aussi vite que Bohu, mais se trompait une fois sur deux. Par contre, l'autre équipe était ralentie $5 \times$ par Gigi Foster qui réfléchissait avant de donner la bonne réponse. La partie était serrée. Malgré cela, nous l'avons $=35$ finalement emportée. Notre enseignant a déclaré : 12×12

– Les amis, je suis heureux de constater que vous êtes fin prêts pour la 6e année ! Cependant, il y a une élève qui va recevoir un galet, parce qu'elle a été prise en flagrant délit de bonnes réponses. Bravo Gigi ! Tu ne t'es pas trompée une seule fois.

Il lui a remis un galet blanc nacré.

– Elle en a déjà eu un vert hier ! a protesté Eduardo.

– Tu as raison. Mais Gigi les a mérités tous les deux.

JJ Foster, un grand sourire aux lèvres, s'est dirigée vers le fond de la classe. Après avoir déposé son galet dans le coffre aux trésors, elle a annoncé qu'il était plein.

– Eh bien, Gigi, on termine l'année scolaire en beauté avec toi ! a dit monsieur Gauthier. Votre dernier privilège, vous en profiterez demain, en fin d'après-midi.

Patrick a levé la main.
– Monsieur ?
– Oui ?
– Ce n'est pas la première fois que vous nous annoncez que vous nous prenez en flagrant délit de progrès. Et quand vous dites ça, vous semblez être fier de nous. Mais je croyais que «prendre quelqu'un en flagrant délit», ça voulait dire le surprendre alors qu'il commet une mauvaise action. On peut utiliser cette expression dans les deux sens ?
– Non, Patrick, tu as raison. Je suis désolé de vous avoir induits en erreur, les amis. Avec vous, j'ai pris l'habitude de dire : «Je vous ai pris en flagrant délit de… bon comportement !» Je trouvais amusant de détourner le sens de cette expression.
– C'est parce que vous êtes cool et nous, on aime ça, a déclaré Africa, toujours prompte à prendre la défense de monsieur Gauthier.
– Merci, a dit ce dernier. Mais Patrick, qui doutait que ce soit une bonne façon d'utiliser cette expression, a bien fait de me poser la question. On peut dire : «Le policier a pris le bandit en flagrant délit.» Ou : «Ah, cette fois, je te prends en flagrant délit ! C'est toi qui manges le chocolat en cachette !» Pour demain, je vais vous demander de rédiger un texte d'une à deux pages dans lequel quelqu'un prend

quelqu'un d'autre en flagrant délit. À mon avis, ce sujet devrait stimuler votre imagination. Et ceux qui auront envie de lire leur texte devant la classe pourront le faire.

Qu'est-ce que je pourrais bien inventer comme histoire ? Il faut qu'il y ait du suspense, bien entendu. Un récit avec un voleur ? Ou une voleuse ? TILT ! Bon, je te laisse, cher journal. Tu m'as prise en flagrant délit d'inspiration !

Jeudi 17 juin

En arrivant en classe, Jonathan a questionné le prof :
– C'est quoi notre privilège, m'sieur ?
– Après la dernière répétition du spectacle de fin d'année avec madame Fattal, nous irons nous promener.
– Jusqu'à la crèmerie, comme l'autre fois ? a demandé Catherine Provencher, pleine d'espoir.
– Non, a répondu notre enseignant. Rappelle-toi : chaque privilège est unique.

Dommage ! Car il fait de plus en plus chaud. Un cornet de crème glacée Tourbillon chocolat-menthe aurait été le bienvenu.

– On va au parc, alors ? a questionné Simon.
– Non plus. Mais nous allons bien nous amuser !

Ce coquin de monsieur Gauthier ! Il aime nous faire languir, avec ses privilèges.

À 9 h 30, Cruella est arrivée. Elle nous a remis nos contrôles. J'ai eu 31/40, ce qui fait presque 8/10! YÉ! Il faut dire que j'avais beaucoup travaillé avec papa! Il allait être content. Ensuite, la prof a annoncé :

– Je vais tous vous interroger sur les verbes irréguliers qu'on a vus durant l'année. Je veux m'assurer que vous les sachiez!

Karim et moi, on s'est regardés. On ne s'attendait pas à ça! Elle ne nous avait pas demandé de les revoir, ces fameux verbes. En une semaine, j'en avais certainement oublié plusieurs. Aïe, aïe, aïe!

Audrey, Éléonore, Karim et Catherine Provencher ont eu 10/10. D'autres ont récolté de bonnes notes, mais Jonathan a eu 4/10, et Simon 5/10.

Lorsque mon tour est arrivé, j'ai répondu tant bien que mal. Cruella m'a collé un 5/10 à moi aussi.

Et ce n'est pas tout, elle a poursuivi :

– Non seulement tu ne fais aucun effort, Alice Aubry, mais en plus, tu parles anglais comme une vache espagnole! En 29 ans d'enseignement de l'anglais, je n'ai jamais, au grand jamais, entendu d'accent aussi lamentable que le tien!

Sous l'insulte, j'ai baissé les yeux. Aucun effort, c'est faux, archi-faux!!! J'ai eu une super note à mon contrôle! Quelle peste! Elle pourrait au moins me prendre à part pour me faire ses remarques. Parce que devant toute la classe, c'est carrément humiliant. (Pour moi comme pour ces pauvres vaches espagnoles, d'ailleurs. Elles ne lui ont rien fait!)

Mais s'attendre à de la délicatesse de la part de Cruella, cher journal, c'est rêver en couleurs! Cette femme est aussi délicate qu'un bulldozer entrant dans une bijouterie. Je suis sûre que nous avons la PIRE prof de tout le Québec! Et peut-être même du Canada! Pour une fois, Éléonore, dont l'accent anglais est *perfect,* évidemment, ne m'a pas regardée de l'air supérieur et condescendant qu'elle prend parfois. Elle m'a plutôt fait un petit signe discret qui voulait dire: «Ne t'en fais pas, ne l'écoute même pas». Elle, au moins, s'améliore…

Pendant que Cruella interrogeait Gigi Foster qui en savait encore moins que moi, Karim m'a discrètement passé un papier. Son message était écrit en anglais:

> Don't worry! you are GOOD in English.
> And you will be BETTER and BETTER.
> But SHE is AWFUL!

Même si je ne connaissais pas les mots *worry* et *awful,* je comprenais qu'il s'agissait d'un petit mot d'encouragement. J'ai souri à mon voisin de pupitre. Lui m'a fait un clin d'œil. Cruella est sortie en faisant claquer ses talons aiguilles. Karim a dit tout bas:
– Pense, Alice, que c'était le dernier cours d'anglais!
– Mais on la verra encore tout à l'heure, à la répétition, ai-je soupiré. Et puis, en 6e…

Marie-Ève, qui nous avait rejoints, a chuchoté afin que les autres, qui préparaient leurs sacs, n'entendent pas :
– Elle qui se vante toujours de ses 29 ans de carrière se verra peut-être offrir une place dans une école à l'autre bout de Montréal ! Ou elle prendra enfin sa retraite !

Même si je ne crois pas aux miracles, j'ai souri. Ça fait du bien d'avoir des amis fidèles qui vous remontent le moral. Et un enseignant qui, lui, est tout le contraire de Cruella ! J'avais hâte de découvrir le privilège qu'il nous avait préparé pour la fin de la journée.

En début d'après-midi, Cruella a apporté les costumes du spectacle. On a dû les essayer. Gaston, Gonzague et Gontrand portent un pantalon noir et un chandail gris avec une capuche. Ultra-moche ! Le pantalon est si large que je dois le tenir pour ne pas le perdre. (TILT : penser à emporter une ceinture, demain, pour ne pas risquer de me retrouver en culotte sur la scène. Ce serait l'horreur absolue !) En plus, il pique, ce pantalon ! JJ Foster ne connaît pas encore son texte par cœur. Eduardo, lui, déclame ses tirades à une telle vitesse qu'on dirait une mitraillette. Quant à Jade, si elle ne parle pas un peu plus fort, personne ne la comprendra.

Marie-Ève, qui joue Ariane, la meilleure amie de Stella, est excellente. Et Karim et Éléonore aussi. Pendant les répétitions, ces deux-là ont l'air complices. J'ai beau me raisonner, ça me dérange que Karim tienne le rôle du moniteur secrètement amoureux de Stella. Et Miss Parfaite qui n'arrête pas de passer sa main dans ses merveilleux longs cheveux, comme du temps où elle essayait d'attirer l'attention de Simon… J'ai peur que Karim ne la trouve finalement plus mignonne que moi.

Mon texte, je le connais sur le bout des doigts (pas difficile, je n'ai que deux tirades…) et celui de Stella aussi. Je voudrais tant être à la place d'Éléonore, demain, et donner la réplique à Karim ! Mais ce que j'aimerais par-dessus tout, c'est ne pas jouer le rôle de ce stupide Gontrand ! D'ici là, bien des choses peuvent survenir. Je peux être terrassée par la grippe (encore qu'en juin, c'est rare…) ou me réveiller pleine de boutons (encore que la varicelle, je l'ai déjà eue…). Bref, on passera juste après la classe de 5e A. Ensuite, il y aura un entracte. Puis, ce sera au tour des deux classes de 6e.

Lorsque Cruella a enfin quitté notre classe, on est sortis de l'école. Au bout de 5 minutes de marche en plein soleil, Audrey a commencé à se lamenter :
– On crève de chaleur, monsieur Gauthier. On peut retourner en classe ?
Désignant le petit centre commercial du quartier, notre enseignant s'est contenté de dire :
– Nous arrivons !

Que venait-on faire ici ? J'étais intriguée. Le prof est rentré, suivi par son troupeau d'élèves. Il s'est arrêté devant le photomaton. Eduardo lui a demandé :

– On va faire des photos de passeport ?!

– Non, mais des photos souvenirs de la fin de votre 5ᵉ année, a répondu monsieur Gauthier. Je vous offre à chacun une série de photos avec un ou deux de vos amis.

– Trop cool !!! s'est exclamée Africa. Je les collerai dans mon *scrapbook* !

– Alice, tu viens sur mes photos ! a lancé Marie-Ève.

– D'accord, et toi sur les miennes !

Bohumil a fait remarquer que chaque série coûtait 4 $.

– C'est vous qui allez payer tout ça, monsieur ?

– Vous êtes riche ? a demandé Jonathan.

– Oh, non, a répondu notre prof en riant. Mais vous avez vaillamment travaillé pendant toute l'année. Ce privilège, vous le méritez amplement. Alors, pour aujourd'hui seulement, Jonathan a raison : oui, je suis riche ! Regardez !

Ouvrant son sac à dos, il en a sorti un sac en plastique transparent. À l'intérieur brillaient plein de pièces de 2 $. Un véritable trésor !

Notre Joey national, déjà assis sur le siège de la cabine, essayait toutes sortes de grimaces dans le miroir. Puis, réalisant qu'on pouvait monter ou descendre le siège en le tournant, il s'est mis à le faire tournoyer de plus en plus vite. Monsieur Gauthier, lui, a encore plongé sa main dans son sac à dos. Et cette fois, il a brandi le petit sac rouge : celui qui contient nos prénoms. Sur le premier carton qu'il a pigé, il a lu :

– Patrick ! Jonathan, tu laisses la place à ton copain et tu attends ton tour.

– Tu peux rester, lui a dit Pat. À trois avec Eduardo, ce sera vraiment *hot* !

Une fois les gars les plus remuants de la classe à l'intérieur du photomaton, monsieur Gauthier leur a passé 4 $ à introduire dans la machine. Puis, derrière le rideau, on a entendu ricaner.

Le nom de Marie-Ève est sorti du sac rouge. Elle et moi, on s'est faufilées dans la cabine. On a bien ri, nous aussi ! Et puis, ça a été au tour des 2 Catherine. Chaque fois qu'une série de photos sortait de l'appareil, on se précipitait dessus en criant ! Les photos de Bohumil et de Simon étaient particulièrement loufoques ! Nos amis affichaient un air ahuri sur la première, dégoûté sur une autre, épouvanté sur la troisième. Sur le quatrième cliché, ils avaient l'air profondément déprimés. Puis, monsieur Gauthier a tiré le nom de Karim. Qui m'a appelée. Moi qui m'étais jurée de ne plus rougir, j'ai senti que je devenais aussi rouge que notre fourgonnette familiale ! Me faufilant à l'intérieur du photomaton derrière Karim, j'ai tiré le rideau. Il m'a fait de la place sur le siège et je me suis assise contre lui. Mon cœur faisait BOUM ! BOUM ! BOUM ! Il m'a dit :

Boum !

Boum !

Boum !

Boum

80

– Je préfère les belles photos aux photos fofolles.

– D'accord, ai-je répondu.

Après avoir glissé les pièces de monnaie dans l'appareil, Karim a passé son bras autour de mon épaule. On a souri à l'objectif et le premier flash s'est déclenché.

– Hey, les amoureux ! a lancé Patrick. N'en profitez pas pour vous embrasser !

– Mêle-toi donc de tes oignons ! a répliqué Catherine Provencher.

Notre enseignant a fini par tirer mon nom. J'ai invité Marie-Ève et Africa à se joindre à moi.

– Et vous aussi, monsieur Gauthier, ai-je ajouté. Pour avoir un souvenir de vous.

– Ça me ferait plaisir, Alice. Le problème, c'est que j'ai laissé ma baguette magique chez moi. Sans elle, jamais on ne parviendra à entrer tous les quatre dans cette petite cabine !

C'est vrai que, vu le **gabarit** de Julien Gauthier, c'était une mission impossible. TILT ! Je venais de trouver une solution ! J'ai expliqué au prof :

– Je voudrais que vous soyez avec moi sur la première photo. Ensuite, vous sortirez et mes amies pourront alors me rejoindre.

– D'accord, a-t-il répondu. Mais, il faudra faire vite !

Il s'est assis sur le siège du photomaton. Je suis restée debout à côté de lui. J'ai souri de toutes mes dents. Le flash nous a éblouis. Monsieur Gauthier s'est précipité hors de la cabine. Au moment où Africa et Marie-Ève s'élançaient

81

à l'intérieur, le flash a fonctionné une deuxième fois. Zut, cette photo-là allait être ratée !

– Dépêchez-vous ! ai-je crié en m'assoyant sur le siège.

Mes amies venaient de se placer quand le flash s'est de nouveau déclenché. Pour la dernière photo, on a fait un vrai beau sourire. C'était déjà fini. On est sorties de la cabine.

La photo avec le prof était excellente. La 2e complètement dingue ! On y voyait quatre mains et des cheveux ! La 3e TROP marrante parce qu'on affichait toutes le même sourire pas naturel. Quant à la 4e photo, elle était très réussie !

– Merci monsieur Gauthier ! me suis-je écriée.

La dernière à passer était Gigi Foster.

– Venez avec moi, a-t-elle demandé à notre enseignant.

C'est moi qui avais eu l'idée de faire une photo avec lui ! Évidemment, il fallait que cette fille me copie… Monsieur Gauthier a rejoint JJ Foster derrière le rideau. On a entendu les pièces de monnaie tinter dans la machine. Puis, on a attendu, attendu, mais rien.

– Ça ne fonctionne pas, a constaté le prof.

Il a récupéré son argent et a réessayé. En vain. Gigi Foster était très déçue. Je la comprends (pour une fois…). Mais quelle chance, tout de même, que la machine soit tombée en panne *après* moi et non *avant* !

19 h 08. Pendant que je mettais la table pour le souper, maman a dit :

– Je me réjouis à l'idée de cette soirée de théâtre, demain, à l'école !

– Eh ben pas moi, je t'assure ! Finalement, je préfère que vous ne veniez pas à ce spectacle. Je DÉTESTE mon rôle !

– Tu sais bien que tes grands-parents seront là aussi, Biquette.

Oh non, je n'y pensais plus…

– Écoute, maman, je te préviens, ce sera NUL !!! Et puis, vous ne pouvez pas amener Zoé.

– Non, bien sûr. Je me suis arrangée avec madame Baldini. Elle arrivera à 18 h 30 pour venir la garder.

J'ai marmonné :

– J'aurais tant voulu que personne ne me voie dans cet accoutrement ridicule et vous serez cinq ! Pfff… C'est vraiment pas drôle…

– Ne sois pas négative, Alice. Je comprends que tu sois déçue de ne pas avoir pu choisir ton rôle. Mais j'ai envie de la voir, cette pièce. Et puis, je tiens à rencontrer monsieur Gauthier. Papa l'a vu à la réunion des parents, mais moi, pas encore.

– Alors là, pour le repérer, rien de plus simple, moumou ! Tu n'as qu'à chercher l'homme le plus grand et le plus costaud de la salle ! Je suis sûre que tu le trouveras sympa.

Vendredi 18 juin

Quand Caro et moi, on est rentrées de l'école, nos grands-parents venaient d'arriver. Ils s'installaient dans la chambre d'amis, au sous-sol. Depuis le mois dernier, ça me fait toujours drôle d'entrer dans cette pièce. En effet, il y flotte encore un vague relent d'eau de toilette de monsieur Yamamoto, le client japonais que papa avait ramené à la maison. Et l'horrible moment que j'ai passé cachée sous ce lit est frais à ma mémoire… Rien que d'y penser, j'en ai la chair de poule. J'imagine que je ne garderai pas un souvenir tellement meilleur de cette soirée-ci… On est soi-disant le vendredi 18 juin, cher journal, mais pour moi, ça ressemble plutôt à un vendredi 13.

Bref, après le souper, il a bien fallu revenir à l'école pour le spectacle… Caroline s'était faite chic pour l'occasion. Sur son nouveau tee-shirt orange, elle portait son pendentif porte-bonheur. Mes parents, mes grands-parents et Caro sont allés s'installer dans la grande salle, juste à temps pour regarder la pièce que présentait la classe de 5e A. Moi, j'ai rejoint mes amis à la cafétéria. Dans un coin, la mère de Marie-Ève terminait de maquiller Audrey. Lorsque mon tour est arrivé, j'ai expliqué à Stéphanie Poirier que j'étais censée être un homme…

– Pauvre Alice ! s'est-elle exclamée. Marie-Ève m'a raconté ta désillusion. Écoute, je vais te dessiner une moustache.

84

Cruella est arrivée. Elle semblait nerveuse. Pas parce qu'on était en retard, non. Après moi, il ne restait plus que Catherine Provencher à maquiller. Mais parce qu'Éléonore n'était pas encore là et qu'on allait bientôt devoir entrer en scène. TIC-TIC-TIC-TIC-TIC, elle est repartie vers la porte pour guetter l'arrivée de son chouchou n° 1. Lorsqu'elle est réapparue, elle a annoncé :

– Si Éléonore n'arrive pas d'ici deux minutes, je vais être obligée de monter avec vous, sur scène, pour lire le rôle de Stella.

Un murmure de désappointement s'est fait entendre.

Eduardo, lui, a carrément osé dire tout haut ce qu'on pensait tout bas :

– Bof, c'est nul…

– On n'a pas le choix, a déclaré Cruella. C'est ça ou bien on annule la pièce.

Prenant mon courage à deux mains, je me suis décidée :

– Je peux remplacer Éléonore. Je connais le rôle de Stella.

Cruella m'a toisée d'un air sceptique, comme si je lui avais affirmé que j'étais née sur la planète Mars.

– Toi ? Comment ça, Alice Aubry ? Tu as appris les répliques ?

– Oui. Je les sais par cœur.

Poussant un soupir exaspéré, elle m'a lancé :

– Allez, on n'a pas le choix ! Tu seras Stella.

Je l'aurais embrassée ! (Enfin, j'exagère, cher journal, tu t'en doutes bien, mais j'étais HYPER contente.) Quel retournement de situation !

Me passant le costume de Stella, la prof d'anglais a ajouté :
– Tu as trois minutes pour faire disparaître ta moustache, arranger ta coiffure et changer de vêtements.

Madame Poirier avait assisté à notre conversation. Saisissant un tampon à démaquiller, elle y a versé du produit qui sentait fort. Et elle a frotté, frotté pour effacer ma moustache.

– Désolée, Alice ! a-t-elle dit. J'espère que je ne te fais pas mal.

– Non, ça va, ai-je répondu, même si ça piquait.

Par la porte ouverte, des applaudissements nous parvenaient. J'ai fermé les yeux. On aurait dit le bruit de la pluie battante quand elle cingle les vitres. Mais bon, la pièce des 5e A était terminée et ce n'était pas le moment de rêver. Je me suis regardée dans le miroir. Horreur absolue ! À la place de ma moustache noire, j'en avais une rouge, tellement madame Poirier avait dû frotter !

Cruella s'est énervée.
– Vite !

Je me suis précipitée à l'autre bout de la cafétéria. Caché du reste de la salle par des panneaux, il était transformé en vestiaire pour l'occasion. Après avoir enlevé le pantalon et le chandail de Gontrand, j'ai enfilé le tee-shirt jaune, le short en jeans et les sandales de Stella. J'ai couru rejoindre les autres.
– T'as pas le trac ? m'a demandé Gigi Foster.

Le trac ? C'est vrai, je serais censée avoir le trac !

Les trois coups ont retenti. Marie-Ève m'a glissé :

– Bonne chance !

Cruella m'a poussée sur la scène et le rideau s'est ouvert.

Je me suis avancée dans le décor de la forêt au bord du lac. Éblouie par les projecteurs, j'ai cligné des yeux. J'ai essayé de prendre une voix ferme pour lancer :

– Attention, les mains en l'air !

Catastrophe ! Étourdie par cette bouscu-lade, perturbée par la question de JJ Foster, je venais de me tromper en récitant la première des deux répliques de Gontrand ! Mais Stella, elle, que disait-elle, au début de la pièce ? Mon cerveau ressemblait à un tableau sur lequel on avait passé l'éponge. Je ne me souve-nais de RIEN. Dans la salle, des centaines de paires d'yeux étaient braquées sur moi. Le silence était terrible. Figée au milieu de la scène, j'étais sur le point de m'évanouir. Soudain, de derrière le rideau, quelqu'un a soufflé :

– Il fait un temps splendide, aujourd'hui. Manu et moi, on va emmener les campeurs au bord de la rivière…

C'était Africa ! M'accrochant à cette première phrase comme quelqu'un qui se noie à une bouée, je l'ai répétée tout haut, mécaniquement. Le déclic s'est fait et le reste du texte de Stella m'est revenu comme par magie. Mes amis ont envahi la scène. Quant à moi, je ne me suis plus trompée une seule fois. Étonnamment, je ne ressentais aucune peur. C'était un peu comme si j'avais des ailes. Des ailes qui m'ont portée vers le baiser fougueux que m'a donné Karim ! Sur la joue, bien sûr.

Après la dernière réplique de Marie-Ève, le rideau rouge est retombé. Puis, sous un tonnerre d'applaudissements, il s'est rouvert, tandis qu'on s'avançait pour saluer les spectateurs. C'est vrai qu'on avait tous été bons. Jonathan et Patrick, en particulier, s'étaient montrés incroyables et d'un grand naturel. La lumière s'est rallumée. C'était l'entracte. En descendant de la scène, j'ai été entourée par ma famille. Caro était si excitée qu'elle sautillait comme une puce. Elle s'est exclamée :
– Eh ben, ça a servi à quelque chose, toutes nos répétitions !
– Quelle surprise, Alice ! a lancé papa. Il y a moins d'une heure, tu râlais parce que tu n'avais pas envie de jouer un rôle masculin. Et finalement, tu triomphes dans le rôle principal !
– Tu vois que les choses finissent souvent par s'arranger, a ajouté grand-maman.

Et mon grand-père a renchéri en me faisant un clin d'œil :
– J'ai hâte que tu nous racontes comment tu as fait !

Alors que je terminais mes explications, monsieur Gauthier est venu me féliciter. Il a serré vigoureusement la main de papa, puis de mes grands-parents. Se tournant vers maman, il lui a dit :
– Vous êtes la mère d'Alice, je suppose. Vous vous ressemblez beaucoup, toutes les deux. À part la couleur des

cheveux, évidemment. Vous pouvez être fière de votre fille ! Elle a accompli une prouesse : remplacer au pied levé Éléonore qui devait jouer Stella !

– C'est ce qu'on a réalisé ! a dit maman. Je suis heureuse de faire enfin votre connaissance, monsieur Gauthier. Alice m'a beaucoup parlé de vous…

Et blablabla… et blablabla…

Dans la foule, j'ai aperçu Éléonore. Laissant les adultes discuter entre eux, je suis allée la rejoindre.

– Te voilà ! ! !

– Oui ! m'a-t-elle dit. J'ai vu presque toute la pièce. Je t'ai trouvée super bonne. Même si ça fait deux semaines que je répète mon texte chaque soir, je n'aurais pas fait mieux. Mais comment se fait-il que tu connaissais si bien mon rôle ? !

Après lui avoir tout expliqué, j'ai ajouté :

– Tu dois être déçue… Pourquoi es-tu arrivée en retard ce soir, toi qui, d'habitude, es toujours à l'heure ?

– On était à peine partis de la maison qu'on a eu un accrochage ! Le conducteur de l'autre voiture était en faute : il n'avait pas fait son *stop*. Le pare-chocs de notre auto était enfoncé. Mon père a appelé la police, mais au bout d'un quart d'heure, les policiers n'étaient pas encore là. Du coup, maman a demandé à papa de rester sur place pour tout régler. Elle et moi, on a couru jusqu'à la maison pour prendre nos bicyclettes. On a pédalé le plus vite possible pour arriver ici à temps, mais, lorsqu'on a fait irruption dans la grande salle, notre pièce venait de commencer…

– Le principal, c'est que vous n'avez pas été blessés! ai-je dit.

– Tu as bien raison! Mais toi, qu'est-ce que tu as sous le nez? De l'eczéma?

– Oh, c'est ma moustache! ai-je répondu en haussant les épaules, comme si le fait d'en avoir une était la chose la plus normale du monde.

En effet, dès que j'étais entrée en scène, je l'avais oubliée, cette fichue moustache. Et maintenant, c'était le dernier de mes soucis!

Malgré le brouhaha, il m'a semblé entendre un TIC-TIC-TIC-TIC-TIC. Je me suis retournée. Eh oui, c'était bien Crucru. Je lui ai souri. C'était elle, finalement, qui m'avait permis de jouer Stella. Se plantant devant moi, elle s'est exclamée:

– Tu as confondu les rôles au début de la pièce!

J'aurais dû me douter qu'on ne pouvait pas te faire confiance.

Sans rien ajouter, elle a tourné les talons. J'étais clouée sur place de stupeur.

Éléonore, qui avait assisté à la scène, m'a demandé:

– Tu t'es trompée dans les répliques?

Je lui ai raconté mon trou de mémoire. Et comment, grâce à Africa, je m'étais instantanément rattrapée. Éléonore a froncé les sourcils.

– Quelle idée elle a, madame Fattal, de te faire des reproches!!! À la place, elle aurait dû te complimenter, puisque tu as sauvé la situation. Elle est souvent injuste envers toi, mais cette fois, c'est le comble ! Écoute, Alice, à ta place, je ne laisserais pas cette enseignante grincheuse gâcher ma soirée.

La *BIG* chouchou de Cruella était sympa de prendre mon parti. Je l'ai remerciée, puis elle est partie rejoindre ses parents. J'allais faire pareil, mais Karim est arrivé. Il m'a dit :
– Bravo Alice ! Tu étais super ! Tu sais, pendant les répétitions, j'aimais donner la réplique à Éléonore parce qu'elle connaissait bien son rôle. Mais je préfère de loin Stella-Alice à Stella-Éléonore !
– Merci, Karim ! Tu étais vraiment bon, toi aussi.
Il a glissé un petit papier plié dans ma main. J'ai regardé autour de moi. On était seuls dans notre coin. J'ai déplié son billet. Et devine ce qu'il était écrit dessus, cher journal ? « Je t'aime, Alice. Tu es belle comme le jour. »
Pour une fois, je n'ai même pas rougi (ça tient du miracle !). J'ai levé la tête. L'élu de mon cœur a soutenu mon regard. Me plonger dans ses yeux presque noirs m'a rappelé le jour du BIG BANG ! Mais la magie de cet instant a été interrompue par monsieur Rivet qui invitait tout le monde à regagner sa place. La deuxième partie du spectacle allait commencer.

Je me suis assise entre Caro et Marie-Ève pour assister aux représentations des pièces des classes de 6ᵉ. Environ 45 minutes plus tard, lorsque le rideau est tombé, les lumières se sont rallumées. Je suis allée me changer au « vestiaire ». J'ai glissé le message de Karim dans la poche de ma mini-jupe blanche. De retour dans la grande salle, j'ai vu Stéphanie Poirier embrasser sa fille. Ensuite, elle a souhaité un « Bonsoir » un peu froid à son ex-conjoint, puis nous a salués, ma famille et moi. En regardant sa mère s'éloigner, Marie-Ève avait soudain l'air triste. Pour faire diversion, je lui ai demandé :

– Tu pars à Ottawa avec ton père ?

– Oui. Cependant, je voudrais d'abord aller manger avant de prendre la route. Tout à l'heure, je n'ai rien pu avaler parce que mon estomac était noué par le stress. Mais maintenant, ma faim s'est réveillée.

TILT ! Je lui ai proposé :

– Si on allait ensemble à la crèmerie ? Tu sais, celle qui se trouve à deux minutes d'ici, où monsieur Gauthier nous avait un jour amenés pour notre privilège ?

– Ce serait vraiment cool, Alice ! C'est exactement ce dont j'ai envie : une crème glacée à la vanille garnie de fraises et de crème fouettée.

Frédéric Letendre était d'accord et mes parents aussi.

À la crèmerie, il y avait Éléonore, les 2 Catherine et leurs familles. J'ai pris un cornet de l'incroyable crème glacée Tourbillon chocolat-menthe. Quant à Marie-Ève, elle est ressortie avec la coupe de ses rêves. On s'est tous installés à la terrasse. Les parents ainsi qu'une des grandes sœurs de Catherine Frontenac (Laurie) étaient à une table, et

mes amies, le frère de Catherine Provencher, Caro et moi,
à une autre. En dégustant notre dessert, on a voté pour
notre pièce de théâtre favorite. On a tous élu notre pièce,
sauf Catherine F.

– J'ai encore préféré celle des 6e A, a-t-elle déclaré.

Pas étonnant. Le beau Noah Robitaille y jouait un rôle
formidable. Changeant de sujet, j'ai demandé à Éléonore :

– Tu as récolté combien d'argent pour le cadeau de monsieur Gauthier ?

– Plus de 150 $! a-t-elle répondu. C'est demain que j'irai
acheter son livre avec mon père. Ou plutôt ses livres,
parce qu'une telle somme nous permettra de lui en offrir
plusieurs.

– J'aimerais vous accompagner, a dit Catherine Provencher.
J'adore aller à la librairie.

Au moment où on s'est dit au revoir, le soleil se couchait. Marie-Ève et son papa sont repartis vers l'école, pour
chercher leur auto. Nous, on est rentrés à pied chez nous.
Marchant à mes côtés, maman a déclaré :

– Je ne m'imaginais pas ton enseignant aussi grand,
Biquette ! Ni aussi baraqué !

– Je t'avais pourtant prévenue qu'il s'agissait d'un colosse !

– Ah oui ?

Ma petite moumou et sa distraction… Je l'ai prise par
le bras. L'air était doux. Un fin croissant de lune brillait
dans le ciel presque noir. Comme pour nous guider vers
notre maison.

Rosa Baldini, qui avait déjà couché Zoé, voulait savoir comment s'était passée ma pièce de théâtre. On s'est assises toutes les deux sur les marches du perron. On a toujours plein de choses à se raconter. Elle et son mari partent dimanche pour Toronto. Ils ont hâte de revoir leur fils, leur belle-fille et leurs petits-fils. Je lui ai souhaité un bon séjour là-bas et on s'est relevées pour se saluer.

– Oh Alice, regarde comme c'est beau ! m'a-t-elle dit en désignant le ciel maintenant criblé d'étoiles. Quelle soirée magnifique ! *La vità è bella !*

Je l'ai approuvée. (Je ne parle pas italien, cher journal, mais cette expression est facile à comprendre. En plus, ce n'est pas la première fois que j'entends madame Baldini dire ça.) Notre gentille voisine a descendu les marches de l'escalier. Elle a tourné à gauche sur le trottoir et s'est éloignée vers sa maison. Contemplant une dernière fois la voûte céleste avant de rentrer, j'ai reconnu la Grande Ourse, une constellation que monsieur Gauthier nous a fait connaître. *La vità è bella !* Je suis d'accord avec madame Baldini.

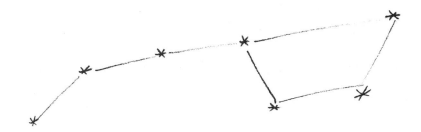

Il était 21 h 15 lorsque je me suis glissée dans mon lit. Caro et moi, on a papoté dans le noir, puis ma sœur s'est endormie au beau milieu d'une phrase. Je me suis relevée.

J'ai sorti le message de Karim de la poche de ma jupe. Je l'ai déplié et je l'ai relu, avant de le glisser sous mon oreiller. Je n'avais pas du tout sommeil. J'avais plutôt envie de te faire le récit de cette **SUPER** soirée, cher journal. Alors, j'ai allumé ma lampe de bureau. Et voilà, deux heures plus tard, c'est fait, même si j'ai lutté à plusieurs reprises pour ne pas piquer du nez sur mon cahier. Mais ça en valait la peine !

Samedi 19 juin

J'ai dormi jusqu'à 10 h et quelques. Pas étonnant, après mon marathon d'écriture d'hier soir ! Et puis, ma tête reposait sur le billet doux de Karim… Ce matin, je l'ai prudemment rangé dans le tome 3 de mon journal intime. Je ne tiens pas à ce que Caro ou moumou tombent dessus !

Cet après-midi, on a fait une promenade en famille sur le mont Royal, jusqu'au belvédère. Zoé faisait sa sieste dans la poussette. Pendant qu'on redescendait le chemin Olmsted, Caroline a déclaré :

– J'ai faim !

Moi aussi, après cette longue marche, j'étais affamée. J'aurais bien dévoré tout un sac de chips BBQ !

– Oh, j'ai oublié de prévoir une collation, a dit maman.

Grand-papa a demandé à mes parents :

– Connaissez-vous un bon petit restaurant familial, pas loin d'ici ? Francine (grand-maman) et moi, on vous invite à souper.

Papa nous a amenés sur la terrasse d'une pizzeria, dans le quartier italien. Il va parfois manger là-bas avec Sabine Weissmuller et ses collègues de bureau. Chacun a pu choisir sa pizza. Ce qui est bien pratique, car, les fois où on en commande une à la maison, c'est un véritable casse-tête. En effet :

🍽 Papa aime la pizza au saucisson.

🍽 Maman la préfère au prosciutto. Et elle adore que sa pizza soit garnie de poivrons, champignons, oignons, cœurs d'artichaut, olives et anchois.

🍽 Caro et moi, on déteste les anchois.

🍽 J'ai un faible pour le prosciutto et les olives, mais Caro ne les supporte pas. Ni les oignons ni les champignons, d'ailleurs. Et encore moins les cœurs d'artichaut ! Elle n'aime pas non plus le saucisson. Il lui faut une pizza tomate-mozarella-poulet. Ou tomates séchées-fromage de chèvre.

🍽 Papa a horreur de ce fromage-là…

🍽 Et j'imagine que ce sera encore plus compliqué le jour où Zoé aura son mot à dire… Notre bébé chéri a beau rire aux éclats quand elle entend le mot « pizza », elle rira peut-être moins si, plus tard, maman lui sert une pointe de pizza AUX ÉPINARDS !

🍽 Oh, j'allais oublier l'éternel conflit posé par la croûte de la pizza. Poupou est partisan d'une croûte épaisse. Moumou, Caro et moi, on trouve les croûtes minces bien meilleures…

Bref, pour une fois, comme chacun a pu choisir sa pizza, personne n'a rouspété. Le serveur semblait juste très surpris lorsque Caro lui a réclamé du ketchup, mais bon, il lui en a apporté une bouteille.

On a discuté des vacances. Le 12 juillet, je m'envole pour la Belgique. Et au mois d'août, grand-maman et grand-papa nous invitent, Caro et moi, à passer une semaine chez eux avec nos cousins. Puis, on a parlé d'oncle Alex. Encore 18 jours, et il sera là.

– J'ai bien hâte de le revoir ! s'est exclamée grand-maman. Je serai soulagée de le savoir sain et sauf à Montréal.

Moi aussi, cher journal.

20 h 17. Pendant qu'elle plaçait ses huit cochons en peluche dans son lit, Caro m'a rappelé :

– Demain, c'est la fête des Pères. J'ai caché mon cadeau dans mon sac d'école. Et toi ?

– Dans le tiroir de ma table de chevet.

– C'est quoi ?

Je le lui ai dit. Elle sait tenir un secret, maintenant, ma sœur. Parce que, quand elle était petite, deux minutes après avoir promis de ne rien dire, elle ne pouvait s'empêcher de confier à papa ou maman :

– C'est une surprise, le cadeau d'Alice. Il ne faut surtout rien dire. Mais le vase qu'elle a peint à l'école est vraiment magnifique !

Dimanche 20 juin

Ce matin, c'est le rire en cascade de notre bébé chéri qui m'a tirée de mon sommeil. Il provenait de la chambre des parents. J'ai pris l'enveloppe dans le tiroir de ma table de chevet. Prenant soin de ne pas réveiller Caroline, je suis sortie de la chambre sur la pointe des pieds. Puis, j'ai frappé discrètement à leur porte.

– Entrez, a dit maman.

Papa était tout ébouriffé. Il avait dû jouer à coucou sous la couette avec son Bichon. Je lui ai tendu mon enveloppe.

– Bonne fête au meilleur des papas !

– Merci, ma puce ! Tu es fine !

Et il a ajouté :

– Ouvre donc les stores pour qu'on y voie plus clair, s'il te plaît.

Caro est arrivée dans la chambre comme un boulet de canon. Elle a lancé :

– Bonne fête des Pèèères !

Je l'ai laissée offrir son cadeau la première, sinon elle allait tellement le presser que ma surprise ferait moins d'effet. Papa a déposé mon enveloppe sur sa table de chevet, à côté du biberon vide. Il s'est longuement extasié sur la boîte de mouchoirs en papier décorée par les bons soins de ma sœur. Elle était ornée d'un singe et d'un boa constrictor collés sur de la paille en plastique vert, censée suggérer les lianes inextricables de la jungle. Puis, il a ENFIN ouvert mon enveloppe. Il n'y a pas trouvé de carte, non, mais un simple papier plié en deux. Fronçant les sourcils, il a commencé à lire. Soudain, il a éclaté de rire. Il essayait de parler, mais n'y parvenait pas, tellement il s'esclaffait. Exactement comme quand il est plongé dans une BD des *Zarchinuls*!

Caro s'est écriée:
– Super, non, l'idée d'Alice?!
Faisant oui de la tête, papa a tiré un kleenex de sa «belle» boîte pour essuyer ses larmes de rire. Tout en continuant de rigoler, il a passé la prescription médicale à maman. Au-dessus était imprimé: *Dre Anne Séguin, médecin de famille,* avec l'adresse et le numéro de téléphone de sa clinique médicale. Ensuite, il y avait la date, suivie du texte: «Pour cause de surmenage dû au travail et à la présence d'un bébé dans la maison, je prescris à Marc Aubry une sieste de deux heures tous les dimanches.» C'était signé par Dre Séguin. Maman s'est mise à rire aussi, mais moins fort que papa. Elle me regardait et avait l'air de penser: «Mais de quoi elles se mêlent, toutes les deux?» (C'est-à-dire Dre Séguin et moi.) Papa, lui, m'a serrée très fort dans ses bras. Il m'a assuré que mon cadeau était génial et qu'il comptait bien l'utiliser!

Assise au milieu du lit, Zoé a déclaré:
– Papapa...
– Papa, tu as dit papa?! a répété notre paternel, émerveillé. C'est la première fois! Quel beau cadeau pour la fête des

Pères, mon p'tit Bichon. Merci! Tu voulais attirer l'attention de papa et continuer à jouer à «coucou!», c'est ça? D'accord.

Et il a plongé sous la couette. Quand il en a émergé, cinq secondes plus tard, notre Zouzou nationale a été secouée par un de ces fous rires!

– Bon, je te laisse avec tes filles, chéri, a dit maman. Je vais préparer un petit déjeuner de fête.

– Et moi, je descends voir si les grands-parents sont réveillés, a fait savoir Caro.

13 h 08. Après le dîner, grand-papa s'est éclipsé dans la chambre du sous-sol pour faire une petite sieste. Papa a bâillé. Il est allé chercher sa prescription médicale et l'a brandie devant les yeux de maman.

En riant, elle a dit:

– C'est bon, Marc, c'est bon.

– Tel père tel fils, a commenté grand-maman. Un petit somme après le dîner, rien de tel pour digérer et retrouver la forme!

Papa m'a fait un clin d'œil avant de disparaître dans l'escalier.

Mon prof préféré et moi

Quelle pagaille !

on y est arrivées...

cheese !

Lundi 21 juin

C'est l'horreur absolue, mon cher journal! AB-SO-LUE!
Au moment où je rentrais de l'école, maman m'a demandé
de sortir le linge de la sécheuse. Au sous-sol flottait une
odeur bizarre. En ouvrant la sécheuse, une bouffée d'air
chaud et de brûlé a saisi mes narines. J'ai bien regardé, mais
heureusement, il n'y avait ni flammes ni fumée. Dans la
sécheuse, le linge était tiède et pas carbonisé du tout, même
s'il sentait le cramé. Je n'y comprenais rien. Et en passant
ma main au fond de la machine pour vérifier s'il ne restait
pas un bas ou une culotte, j'ai senti quelque chose de dur.
C'était tout petit. Oh non!!! Mon tee-shirt de Lola Falbala
avait rétréci, rétréci, rétréci... Désormais, il était à peine assez
grand pour Zoé! Mais même elle ne pourrait pas le porter:
le tissu, si merveilleusement souple à l'origine, était devenu
aussi rigide qu'une armure. Quant à sa belle couleur argentée, elle s'était transformée en un vilain
gris foncé. Quel gâchis!

Je me suis alors souvenue de ce que madame Baldini
m'avait dit, il y a quelques semaines: «Il ne faut pas mettre
ton chandail dans la sécheuse, car il est en fibres synthé-
tiques.» Si je me rappelle bien, maman était là et avait
aussi entendu l'avertissement de notre voisine. C'était sans
compter sa légendaire distraction! Elle avait dû oublier,
tout simplement. Et moi qui n'ai pas pensé à le lui rappeler... Quelle malédiction d'être distraite de mère en fille!

J'ai déposé sans rien dire le panier de linge sur la table de la cuisine. Devant mon air abattu, ma mère qui donnait des morceaux de banane à sa Prunelle s'est exclamée :

– Tu ne vas tout de même pas bouder chaque fois que je te demande de participer aux tâches de la maisonnée, Alice ? !

Brandissant ce qui restait de mon tee-shirt, j'ai crié :

– Je ne boude pas, mais regarde ! Toi qui ne supportais pas que je le porte, tu peux être contente, maintenant !

Ma mère a plissé les yeux pour mieux voir. Puis, elle m'a demandé :

– C'est ton chandail de Lady Gaga ? Il est passé dans la sécheuse ?

– Pas de Lady Gaga, voyons ! Lady Gaga est le nom d'une autre chanteuse. Tu sais, celle qui chante *Paparazzi*. Mais mon idole, c'est Lola Falbala. Oui, tu as bien vu, c'est mon tee-shirt de Lola Falbala. Ou plutôt, *c'était*. Car la sécheuse ne l'a pas manqué ! ! !

– Voyons, Biquette, ne sois pas agressive ! Je sais pertinemment que ce genre de tissu ne va pas dans la sécheuse. J'ai dû saisir ton tee-shirt avec le reste du linge et l'y mettre par mégarde. Désolée.

Bon, c'est fait, c'est fait. Mais je suis **HYPER FRUSTRÉE !** Cette fois, même madame Baldini ne pourrait arranger les choses. Ça prendrait la baguette magique de monsieur Gauthier, et encore… Mon beau tee-shirt ! J'en aurais pleuré de rage ! Et dire que je me suis forcée à manger des milliers de Crocolatos pour l'obtenir ! Tout ça pour l'avoir porté quelques fois à peine…

Je suis montée dans ma chambre. À son tour, Caro m'a demandé ce que j'avais. Je lui ai montré ce qu'était devenu mon chandail préféré.

– C'est quoi ? a fait ma sœur en se rapprochant.

Ayant fini par comprendre, elle a pouffé de rire. Furieuse, j'ai lancé :

– M'enfin ! C'est pas drôle, mais alors pas drôle du tout !

De rage, j'ai lancé le tee-shirt riquiqui dans la poubelle !

18 h 20. J'avais laissé un message sur le répondeur de Marie-Ève. Elle vient de me rappeler. Je lui ai expliqué la catastrophe. Mon amie n'en revenait pas ! Quant à elle, elle n'a toujours pas reçu son tee-shirt de Lola Falbala. Elle a soupiré :

– Mes points Star sont peut-être arrivés trop tard.

– Mais non, tu les as envoyés bien avant la date limite.

« Ou alors il ne leur restait plus de tee-shirt, à l'usine qui fabrique les Crocolatos… », ai-je pensé.

Pour se changer les idées, on a parlé de notre sortie scolaire de demain : un pique-nique au bord de la rivière des Prairies suivi de la descente de la rivière en rabaska. C'est un gros canot dans lequel 12 passagers peuvent embarquer. Comme la classe de 5e A sera également de la partie, il y aura quatre canots. Trop cool !

Mardi 22 juin

Ce midi, deux autobus scolaires nous ont déposés au parc-nature de l'Île-de-la-Visitation. Monsieur Gauthier et madame Robinson nous accompagnaient, ainsi que madame Duval et Cruella. Il faisait lourd aujourd'hui, mais en bordure de la rivière, il y avait de l'air. Après le piquenique, on s'est rendus jusqu'au quai et on a embarqué dans les rabaskas. Je faisais des vœux pour que Crucru ne se retrouve pas dans la même embarcation que moi et… fiouuu ! C'est monsieur Gauthier qui est monté à bord de la nôtre. Il s'est installé derrière, à côté du turbulent Jonathan, certainement pour le tenir à l'œil. Heureusement, car même si on portait des gilets de sauvetage, je n'avais aucune envie que notre canot chavire.

Pendant qu'on ramait, notre guide, un monsieur très gentil, nous a expliqué qu'autrefois on se déplaçait dans des rabaskas en écorce sur les rivières. Il nous a raconté plein d'anecdotes sur des personnages historiques. Tout en l'écoutant d'une oreille, on se faisait des signes d'une embarcation à l'autre. Devant moi, Africa a sorti son iPod. Lorsqu'elle s'est retournée pour nous prendre en photo, on a entendu gronder au loin.

– C'est le tonnerre, tu crois ? a demandé Éléonore, assise à côté de moi. Mes parents m'ont toujours dit qu'en cas d'orage, il faut immédiatement sortir de l'eau. Sinon, on risque d'être foudroyé !

Eduardo a ricané :

– Joyeux programme pour la fin de l'année scolaire !

Un autre grondement s'est fait entendre plus distinctement, comme un roulement de tambour. Cette fois, monsieur Gauthier et le guide semblaient préoccupés. Parlant dans son talkie-walkie, ce dernier a communiqué avec ses collègues, à bord des trois autres rabaskas. En un temps record, le ciel s'est obscurci. Cette fois, le tonnerre a éclaté et on a crié, d'excitation mais aussi de frayeur.

– J'ai peur des orages, monsieur ! a lancé Audrey. Je ne veux pas me noyer !

– Ni être frappée par la foudre ! a ajouté Catherine Frontenac, qui ramait derrière moi. La tante de la secrétaire du cousin de mon père est montée sur une tour et a été foudroyée.

– Elle est morte ? lui ai-je demandé.

– Ben oui, évidemment !

Bondissant de son siège, Jonathan s'est écrié joyeusement :

– Si la foudre nous frappe, on aura l'air de morts-vivants flottant sur la rivière !

Notre canot oscillait dangereusement. Se penchant pour le rééquilibrer, monsieur Gauthier a fait rasseoir Jonathan. Puis, il nous a dit :

– On se calme, les amis, et on pagaye ! Dans deux minutes, nous serons sur la terre ferme. Il est formellement interdit de courir ou de se réfugier sous les arbres. Nous allons rester groupés et nous asseoir sur la berge en attendant que l'orage passe.

Une grosse goutte de pluie est tombée sur mon bras.

On a accosté d'urgence dans une petite crique. Alors qu'on mettait pied à terre (sur la terre ferme, c'était beaucoup dire, on pataugeait plutôt dans la vase…), une pluie torrentielle s'est abattue sur nous. Elle nous fouettait le visage, les bras et les jambes. Et comme si ça ne suffisait pas, le ciel était zébré d'éclairs. Des coups de tonnerre assourdissants achevaient de nous faire perdre la tête. Plusieurs filles poussaient des cris aigus. Gémissant, j'ai plongé la tête entre mes genoux et je l'ai protégée de mes bras. J'ai senti ma meilleure amie s'accrocher à moi comme à une bouée de sauvetage. Autour de nous, c'était presque la fin du monde.

L'orage s'est éloigné aussi vite qu'il était apparu. La pluie a cessé. On était tous trempés jusqu'aux os et nos cheveux dégoulinaient. Cherchant Karim du regard, j'ai vu une créature à quatre pattes, couverte de boue et les cheveux noirs plaqués sur le visage, tenter de se relever.

– Attendez, madame Fattal, je vais vous aider ! s'est écriée madame Duval en apercevant sa collègue dans une si mauvaise posture.

Repensant à la prédiction de Jonathan concernant les morts-vivants, j'ai pouffé de rire. Dans sa « tenue de camouflage », Cruella était une véritable zombie, digne de figurer dans un film d'aventure aux côtés de Kevin Esposito! On ne voyait même plus ses souliers à talons aiguilles. La boue lui faisait comme de grosses bottines! Derrière elle se trouvait Éléonore, toute sale, elle aussi.

En les apercevant, monsieur Gauthier s'est exclamé:
– Eh bien, on peut dire que la douche sera bonne, tout à l'heure!

En fait, on était tous crottés! (Du moins nos pieds et nos shorts, puisqu'on s'était assis sur le sol.) Mais Crucru et Éléonore remportaient le 1er prix! Les nouvelles lunettes de Jonathan étaient croches. Dans la confusion générale, il avait dû se cogner la tête.

Dans l'autobus scolaire qui nous ramenait à l'école, Éléonore, traumatisée, n'arrêtait pas de répéter:
– C'est dégoûtant! Beurk, c'est dégoûtant!!!
– Tu es tombée à plat ventre dans la boue? lui ai-je demandé.
– Pas du tout! a rétorqué Miss Parfaite. Audrey et moi, on venait de s'asseoir quand madame Fattal est arrivée. Elle nous a crié que, pour ne pas se faire foudroyer, il fallait s'étendre à terre. Comme je ne lui obéissais pas, elle m'a saisie par le bras et m'a plaquée dans la boue... Beurk! C'est dégoûtant!!!

Et la pauvre a commencé à pleurer. Sacré Crucru ! elle avait cherché à sauver la vie de son chouchou « *number one* ». Ce n'est certainement pas moi qu'elle aurait essayé de protéger ! Je l'ai échappé belle ! Finalement, être la shpoutz de la prof d'anglais comporte parfois de bons côtés.

Mes sandales blanches de l'été dernier étaient bien entendu méconnaissables. Elles étaient bonnes pour la poubelle. De toute façon, c'est pas bien grave parce qu'elles devenaient trop petites. Maman m'en a promis une nouvelle paire.

Mercredi 23 juin

Dernière journée d'école ! Ou plutôt demi-journée. Au programme : d'abord une heure d'éducation physique avec madame Duval, au parc. Puis, retour à l'école et rangement de la classe. Ce matin, en enfilant mes souliers de sport, j'ai senti quelque chose qui piquait. Tâtant l'intérieur de ma chaussure, j'en ai ressorti… ma boucle d'oreille turquoise ! Ça alors, c'est là que Zouzou l'avait cachée ! J'étais bien heureuse de la retrouver ! Au moins, même si je n'ai plus mon tee-shirt de Lola Falbala (sniff ! et re-sniff !), j'allais pouvoir porter ce soir mon tee-shirt turquoise et mes boucles d'oreilles assorties.

Au parc, on s'est bien amusés! Kim Duval avait organisé des jeux d'équipe pour les deux classes de 5ᵉ. Monsieur Gauthier nous avait accompagnés. On le voulait tous dans notre équipe. En effet, il court TRÈS vite, un peu comme s'il avait chaussé les bottes de sept lieues de l'ogre, dans le conte du *Petit Poucet*. Ensuite, on est revenus à l'école. En arrivant en classe, notre enseignant a sorti son *BlackBerry*. Il nous a proposé de nous photographier assis à nos pupitres et de nous faire parvenir ensuite les photos par courriel. J'ai trop hâte de voir celle qu'il a prise de Karim et moi!

Pendant qu'on décollait les images de nos héros qui tapissaient le fond de la classe, monsieur Gauthier nous a demandé:

– Quelle leçon avez-vous préférée, cette année? Vous vous en souvenez?

Sans hésitation, Bohumil a décrété:

– Celle sur le Big Bang. Ça m'a tellement intéressé que, pour en savoir plus, j'ai fait des recherches sur Internet.

– Moi aussi, celle sur le BIG BANG! me suis-je écriée. (Je l'ai adorée, en effet, mais pas pour les mêmes raisons que Bohu!)

– Et moi aussi, a renchéri Karim en me faisant un beau sourire.

– Eh bien, je suis ravi que ma leçon sur la naissance de l'Univers ait remporté un tel succès auprès de vous! s'est réjoui notre enseignant.

– Moi, je les ai toutes aimées, vos leçons ! a déclaré Jonathan.

Monsieur Gauthier semblait sincèrement touché. Il faut dire qu'arriver à capter ET à maintenir l'attention de Jonathan l'ouragan est un exploit en soi.

Jade a demandé :

– Et le coffre aux trésors, on en fait quoi ?

– Je le rapporte chez moi, a répondu le prof. Pour mes élèves de l'an prochain.

– Pourvu que ce soit nous ! a lancé Simon.

– Moi aussi, j'aimerais passer en 6ᵉ année avec vous. Mais ne nous faisons pas de faux espoirs. Car, même si monsieur Rivet n'a encore rien confirmé, normalement, je resterai en 5ᵉ.

Monsieur Gauthier nous a remis notre bulletin ainsi qu'un certificat personnalisé. (Je ne peux pas coller le mien ici, cher journal, parce qu'il est trop grand.) Mais il disait : « Félicitations, Alice, d'avoir réussi ta 5ᵉ année avec brio. J'ai beaucoup aimé t'avoir dans ma classe. Ton imagination, ton enthousiasme et ton beau sourire sont contagieux. Tu es une fille épatante ! Je dirais même plus… une fille 100 % cool ! Continue à bien travailler et tu réaliseras tes rêves ! »

La cloche a sonné. Jetant un dernier coup d'œil à notre classe rangée et aux murs dénudés, j'ai ressenti un pincement au cœur. Elle était déjà finie, cette belle année avec monsieur Gauthier ! J'aurais voulu lui dire qu'il était l'enseignant le + cool, non seulement de l'école des Érables, mais aussi :

de Montréal

du Québec

du Canada

de l'Amérique du Nord

de la planète Terre

et de notre galaxie tout entière !

Cependant, une grosse boule d'émotion était coincée dans ma gorge. Alors, au moment où je suis passée devant lui, je n'ai été capable d'articuler qu'un petit « merci » de rien du tout. Mais au moins, j'avais réussi à ne pas fondre en larmes. Mon truc ? J'avais pensé très, très fort à la belle soirée qui nous attendait chez lui.

Alors que je descendais les escaliers, Karim m'a rejointe. Cette fois, mes yeux se sont mouillés.

– Mais… tu pleures, a-t-il constaté, surpris. Tu as de la peine ?

– Non, enfin oui, un peu, ai-je bafouillé. Je suis triste parce qu'on ne sera sans doute plus dans la classe de monsieur Gauthier en septembre. Et que…

– Je te comprends, m'a interrompue Karim. Moi aussi, ça a été mon enseignant préféré ! Et tu as de la peine pour quoi d'autre ?

Prenant mon courage à deux mains, je lui ai dit tout bas :
– Parce qu'on ne se verra pas pendant les vacances...
BOUUUH ! BOUUHOUUWOUUU !...

Cette fois, j'avais éclaté en sanglots. Plusieurs amis de
5ᵉ A me dévisageaient. Je me sentais ridicule.

Me prenant par la main, Karim m'a entraînée vers les
toilettes. Il a ouvert le robinet de l'évier et m'a proposé de
rincer mon visage.
– Comme ça, on ne s'apercevra pas que tu as pleuré.

J'ai obéi. L'eau fraîche m'a fait du bien.
– On s'écrira. Et puis, on se retrouvera à la rentrée. J'espère
qu'on sera encore dans la même classe. Au pire, si je me
trouve chez madame Hamel et toi chez madame Pescador,
on se verra aux récrés...
– Tu as raison, ai-je dit.

Après m'être essuyé le visage, je me suis regardée dans
le miroir. J'étais un peu rouge, mais pas trop. Karim et
moi, on s'est souri et, d'un même élan, on s'est embrassés
sur la joue.

– Désolée de vous déranger ! s'est exclamée une voix
moqueuse.

JJ Foster ! Elle a poursuivi :

– Tu fais bien d'en profiter, Alice. Car le beau Karim va passer tout l'été à embrasser des filles libanaises.

Karim a protesté :

– Tu racontes vraiment n'importe quoi, Gigi ! Tu es bête et vulgaire !

Plantant cette peste là, on a filé, lui et moi. En arrivant dans le couloir, il m'a demandé :

– Ça va aller ?

– Oui, merci !

– Alors à tout à l'heure, Alice, chez monsieur Gauthier.

– À tantôt, Karim !

Je n'avais pas à attendre Caro. Elle repartait avec sa copine Jessica chez qui elle était invitée.

En sortant de l'école, j'ai tenté de voir où ma mère s'était stationnée. En effet, je lui avais demandé de venir me chercher en auto. Car le dernier jour de classe, on a toujours des tas de choses à rapporter à la maison. Repérant notre mini-fourgonnette rouge, je me suis dirigée vers elle. J'ai fourré tout mon barda dans le coffre, puis je suis montée à côté de moumou. Au coin de la rue, elle s'est arrêtée au *Stop,* deux secondes après une auto qui arrivait à sa gauche. C'était une Coccinelle bleue… la voiture de Cruella ! Qui se trouvait bel et bien derrière le volant ! Mais maman (qui me parlait) a redémarré la première malgré le fait que ce ne soit pas à son tour de passer. Le réalisant soudain, elle s'est immobilisée au milieu de l'intersection. Ma prof d'anglais lui a fait signe d'avancer, puisque maman lui bloquait de

toute manière le passage. Moumou a répondu par… un pied de nez, avant de redémarrer !!! Horreur absolue ! J'ai eu le temps d'apercevoir l'expression stupéfaite de Cruella.
– Pourquoi tu lui as fait un pied de nez??? me suis-je écriée, horrifiée.

D'habitude, Astrid Vermeulen est une conductrice prudente et courtoise, qui laisse passer les autres automobilistes avec le sourire. Et qui jamais, au grand jamais, ne leur fait de grimace ! Je n'y comprenais rien.
– Je n'ai pas *voulu* faire un pied de nez, m'a-t-elle dit en riant.
– Comment ça, pas voulu?!

Ma mère m'a expliqué :
– Tu penses bien que je ne l'ai pas fait exprès, Alice ! J'ai tout simplement tenu à remercier cette conductrice qui me laissait passer. Je lui ai donc lancé un geste aimable de la main. Mais mon pouce s'est accroché sous mon nez ! (Pourtant, moumou n'a pas un nez imposant, mais un joli petit nez. Il faut le faire…) Écoute, Biquette, c'est comique, quand on y pense, non ! Hi ! hi ! hi ! (Pour moi, cet incident n'avait rien de comique, c'était plutôt catastrophique.)

– C'est pas possiiible ! me suis-je lamentée. Tu sais *qui* était cette conductrice? Madame Fattal !!!
Retrouvant son sérieux, maman a dit :
– Oups, je suis doublement désolée.

– Plus jamais je n'oserai la revoir ! ! !

– Tu ne vas tout de même pas en faire un drame ! Ce qui est fait est fait. Si on cherchait des points positifs à la situation ?

Et maman a commencé à énumérer :

1- C'est les vacances ! Soyons heureux. (*J'étais heureuse jusqu'à il y a 60 secondes...*)

2- Madame Fattal n'a sans doute pas vu qui nous étions. (*Ça, ça m'étonnerait. Cruella a le regard perçant, surtout pour repérer sa* **shpoutz !**)

3- Et si jamais elle nous a aperçues, elle aura tout le temps, d'ici la rentrée scolaire, d'oublier mon geste maladroit. (*Son geste maladroit ? Son affreuse grimace, plutôt ! Je dirais même plus : son attitude grossière.*) (*Et il y a peu de chances que Crucru oublie. Car elle n'est pas distraite, elle. Par contre, elle est ultra-rancunière. J'en sais quelque chose : depuis que ma mère a fait une remarque « maladroite » à propos de son genou opéré, au début de la 5ᵉ, Cruella s'est montrée plus cruelle que jamais avec moi...*)

4- Heureusement que je ne suis pas entrée en collision avec l'auto de madame Fattal. (*Ça c'est vrai ! Il n'aurait manqué que ça. Fiouuu !...*)

5 - Une belle soirée t'attend chez monsieur Gauthier. *(Elle a raison, mais ça n'efface en rien le pied de nez à Crucru...)*

– Allez, Biquette, à toi de continuer ! m'a lancé maman d'un ton jovial.

Le seul point + qui m'est venu à l'esprit était celui-ci : en fait, Cruella méritait tout à fait un pied de nez, pour toutes ces années où elle m'a terrorisée. Bien sûr, je ne l'ai pas dit à ma mère. Mais pour le reste, je ne partageais pas son optimisme. J'étais convaincue que cet affront, ma prof d'anglais me le ferait payer cher, en 6e année. Elle aurait même tout l'été pour mettre sa vengeance au point. Aïe, aïe, aïe ! rien que d'y penser, j'en avais des crampes au ventre...

17 h 01. Après le dîner, j'ai passé l'après-midi à t'écrire, cher journal. Puis, j'ai pris ma douche, j'ai enfilé ma mini-jupe blanche et mon tee-shirt turquoise (sans oublier mes boucles d'oreilles assorties !). Soudain, je me suis rappelé que mes sandales avaient fini à la poubelle. Qu'est-ce que j'allais bien pouvoir me mettre aux pieds ? Mes gougounes ? Pas moyen de les trouver ! Il faut avouer que, comme dirait ma mère, il y a un fameux bazar dans la garde-robe... Je n'allais tout de même pas porter mes chaussures de sport à la fête de monsieur Gauthier ! TILT ! Les belles sandales de maman ! Je lui ai demandé de me les prêter.

– Elles sont trop grandes pour toi, a-t-elle répondu.

– Un *petit peu* trop grandes. Mais tu me les as déjà passées pour l'école. Tu t'en souviens? Mes pieds ont grandi depuis. Et puis, on restera dans l'appartement de notre prof. Je n'aurai presque pas à marcher.

– Bon, d'accord, Biquette.

– Merci moumou!

La mère de Marie-Ève doit passer me prendre d'une minute à l'autre pour nous conduire chez monsieur Gauthier. Cool, on sonne à la porte. À demain, cher journal!

21 h 32. Papa est venu me chercher il y a une demi-heure chez monsieur Gauthier. Me revoilà donc, cher journal! J'ai bien trop hâte de te raconter ma soirée pour attendre à demain. Je commence par le début… Ma meilleure amie a sonné vers 17 h 05. Me donnant un sac en plastique, elle m'a dit:

– Tiens, je te prête la suite des aventures de Kenza. Et aussi le tout nouveau numéro du magazine *MégaStar*. Je l'ai fini tout à l'heure. Tu n'auras qu'à me le rendre lorsqu'on se verra. (Les clientes de sa mère adorent lire le *MégaStar* dans la salle d'attente de son institut de beauté.)

– Oh, tu es chou, Marie-Ève! Merci!

Stéphanie Poirier ne connaissait pas le quartier où habite notre enseignant. On a tourné en rond pendant quelques minutes avant de trouver le nº 59, au fond d'un cul-de-sac. Devant le vieil immeuble, il y avait un amoncellement de

sacs poubelle. Avec la chaleur, ça puait au max ! Ouache !
Me bouchant le nez, je me suis précipitée à l'intérieur de
la bâtisse. Les murs étaient éraflés. On a sonné. La porte
a fait **BZZZZZZ** et s'est ouverte sur une cage d'escalier
mal éclairée.

– C'est sinistre, ici, a constaté madame Poirier.

Elle semblait inquiète de nous laisser dans cet endroit peu
invitant. Moi, je me demandais si on ne s'était pas trom-
pées. Ce n'était pas possible que monsieur Gauthier habite
à cette adresse ! On atteignait le 2e étage quand soudain
WOUARF ! WOUARF ! WOUARF !
J'ai fait un de ces sauts ! C'était un chien qui aboyait
comme un fou. À entendre ses hurlements et la force
avec laquelle il griffait la porte intérieure de l'appartement devant lequel on passait, il devait s'agir d'un chien
de garde. Heureusement qu'elle était bien fermée, cette
porte, sinon il nous aurait dévorées toutes crues ! Une voix
d'homme, venant elle aussi de l'intérieur de cet appart « si
accueillant », a crié des gros mots à son animal. À travers
tout ce vacarme, on a entendu :

– C'est ici !

La voix venait d'en haut. Quelqu'un était penché dangereusement par-dessus la rampe. Jonathan ! J'ai repris l'as-
cension de l'escalier en m'appliquant. En effet, je ne tenais
pas à me tordre les chevilles dans les sandales à semelles
compensées de maman.

Quand on est arrivées au 4e, notre enseignant nous a
accueillies chaleureusement.

– Bienvenue chez moi, les filles ! Bonsoir, madame Poirier.

– Bonsoir, monsieur Gauthier. Bon, je vous laisse. Passez une excellente soirée. C'est à 21 h que je viens chercher Marie-Ève, c'est ça ?

Notre enseignant portait son tee-shirt 100 % COOL !, impeccablement repassé. Il était entouré par le remuant Jonathan, mais aussi par Karim, Africa, Audrey, Éléonore, Simon, Catherine Frontenac, Jade, Bohumil et Eduardo. En entrant dans son appart, je me suis dit qu'une fée, ou plutôt un magicien, avait effleuré celui-ci de sa baguette magique. En effet, le délabrement et la saleté faisaient place à une explosion de couleurs. Les murs du hall d'entrée étaient peints en vert (du même vert superbe que le deuxième cahier de mon journal intime). Ils étaient décorés par des photos de magnifiques paysages.

– C'est beau, chez vous ! s'est exclamée Marie-Ève.
– Merci ! a dit notre prof. Quand je suis arrivé ici, j'ai repeint chaque pièce d'une couleur vive. Ainsi, dès que je me lève, je vois la vie en couleurs et ça me met de bonne humeur.
Je lui ai demandé :
– C'est vous qui les avez prises, ces photos ?
– Oui.
– WOW ! Vous êtes un vrai photographe comme mon oncle Alex !
– C'est où ? a demandé Audrey, en désignant un long rocher rectangulaire qui se trouvait dans la mer.

– En Gaspésie! a répondu fièrement monsieur Gauthier. Le plus beau pays du monde!

– Le plus beau pays, c'est le Sénégal! a rétorqué Africa, les yeux brillants et un grand sourire aux lèvres.

– Moi, je vote pour la Chine! a affirmé Jade.

Me prenant au jeu, j'ai lancé:

– Les plus beaux pays du monde, ce sont la Belgique et le Canada!

En effet, j'ai non pas *un* pays, mais bien *deux*.

– Je suis d'accord avec Alice! a renchéri Éléonore. Vive le Canada!

Eduardo s'y est mis lui aussi:

– Vous vous trompez tous! Le plus beau pays, c'est le Venezuela! D'ailleurs, monsieur Gauthier, la Gaspésie, ce n'est pas un pays, mais une région du Québec. Et le Québec est une des dix provinces du Canada.

– Tu as raison, Eduardo, mais c'est une façon de parler. Le plus beau pays, c'est toujours celui d'où l'on vient. Et moi, je suis originaire de Gaspésie! Mon rêve, ce serait d'aller enseigner là-bas, un jour.

– Regardez! a poursuivi notre enseignant.

La photo qu'il pointait du doigt représentait une rivière bordée par une plage de galets gris.

– Nos galets viennent de là? s'est informé Bohumil.

– Exactement. Attendons Catherine, Gigi et Patrick, a proposé notre enseignant. Ensuite, nous ferons un jeu. Avec vos galets, justement.

Quelques minutes plus tard, on était tous réunis dans l'entrée. Gigi Foster a fait un sourire narquois tandis que son regard passait de Karim à moi. Je me suis détournée d'elle. Avec un air de conspiratrice, Éléonore a sorti discrètement des paquets d'un grand sac en plastique. Comme on avait convenu de le faire, on a tous crié :

– Supriiiise !

Et Miss Parfaite, Gigi Foster, Karim et Simon ont tendu chacun un paquet à monsieur Gauthier. Éléonore et Catherine Provencher avaient acheté non pas 1 mais 4 livres :

♥ 1 grand livre sur l'Univers, avec plein de photos incroyables prises par satellite ;

♥ 1 beau livre sur les 4 saisons en Gaspésie (qu'il ne connaissait heureusement pas) ;

♥ 1 recueil d'un poète québécois, que la maman d'Éléonore avait recommandé ;

♥ et 1 manuel de magie qui venait de paraître, avec 50 tours illustrés pour magiciens de niveau avancé.

Notre enseignant était très surpris et absolument ravi :
– Un tout GRAND merci à vous et à vos parents ! Vous m'avez vraiment gâté. Et vous ne pouviez pas mieux choisir ! Avec de la belle lecture comme celle-là, je ne risque pas de m'ennuyer pendant les vacances !

Puis, frappé par une inspiration soudaine, il s'est écrié d'un air comique :
– En fait, vous avez voulu à votre tour me donner des devoirs, c'est ça ?

Après nous avoir demandé d'écrire un petit mot sur la première page de ses livres, il nous a expliqué le jeu qui nous attendait.

– Il s'agit d'une chasse aux trésors. Les trésors, vous les connaissez. Ce sont les galets que vous avez remportés tout au long de l'année scolaire. Il y en a 67 en tout. Je les ai cachés dans mon appartement. Vous avez le droit d'ouvrir les armoires et de regarder partout, sauf dans mon lit, dans la garde-robe de ma chambre à coucher et dans ma commode. Dès que vous trouvez un galet, apportez-le-moi ici. Bon, je déclare la chasse aux trésors ouverte !

J'ai prudemment enlevé les sandales de maman avant de m'élancer vers la porte de droite. La toute petite cuisine était peinte en jaune soleil. Marie-Ève, Karim et Bohumil cherchaient à mes côtés.

– Ici ! s'est écriée ma meilleure amie en brandissant le galet vert lime.

– Et en voici un autre ! s'est exclamé Karim en découvrant un galet au fond d'une casserole.

Bohumil, à son tour, en a sorti un du four, puis on a changé de pièce. Dans le couloir régnait un véritable embouteillage !

Au bout d'un moment, notre prof a mis ses mains en porte-voix. Il a crié :

– J'ai déjà 25 galets. Il en reste encore 42 à trouver !

Je me suis faufilée dans le salon orange, où plusieurs de mes amis cherchaient déjà activement. Le coffre aux trésors ! Monsieur Gauthier l'avait placé sur sa bibliothèque. Il y avait certainement caché un galet ! Grimpant sur une chaise, j'ai réussi à l'attraper. Mais il était tout léger (ce qui signifiait que je m'étais trompée). De plus, il était fermé par un petit cadenas doré. Bon, j'avais perdu mon temps ! J'ai reposé le coffret à sa place. En descendant de la chaise, j'ai écrasé le pied de Simon qui extirpait une série de galets de sous les coussins du sofa.

Alors que je me précipitais hors du salon, je suis entrée en collision avec JJ Foster.
– Tu pourrais faire attention, microbe ! a-t-elle lancé. GRRR...
Non, mais pour qui elle se prenait, celle-là ? !
– Microbe toi-même, espèce de… euh, de bactérie toxique ! ai-je riposté dans un effort suprême pour trouver pire.
Je suis repartie vers la droite. Monsieur Gauthier nous encourageait :
– Plus que 23 galets ! *GO ! GO ! GO !* les amis !

Les murs de la chambre de notre enseignant étaient peints en bleu-mauve. Ils étaient tapissés d'images de planètes et de galaxies. Wow ! Mais à ma grande déception, j'ai eu beau chercher dans sa table de chevet ainsi que dans les tiroirs de son bureau de travail, pas moyen de mettre la main sur le moindre galet. Je voulais au moins en trouver un ! Éléonore, par contre, jubilait. Elle venait d'en découvrir deux sous le lit de monsieur Gauthier. La voix de notre enseignant a retenti dans l'appartement :

– Encore 11 galets à dénicher! Allez, on redouble d'ardeur!

L'excitation était à son comble. Il faisait tellement chaud que j'étais en nage. Jonathan, qui a surgi de la salle de bain, m'a presque assommée avec le galet qu'il brandissait comme s'il s'élançait à la chasse aux mammouths.

– Aie, ça fait mal! ai-je protesté.

Mais Joey avait déjà disparu.

En frottant mon front endolori, je suis entrée dans la salle de bain bleu vif. L'espace entre la porte et la douche était occupé par un aquarium dans lequel des poissons lumineux évoluaient avec grâce, indifférents à l'agitation qui régnait dans l'appartement. J'ai été tirée de ma contemplation par un puissant:

– Vous êtes vraiment excellents, les 5e B! J'ai déjà 62 galets en ma possession! Ouvrez grand vos yeux!

Catherine Frontenac, Eduardo et moi, on avait beau écarquiller les nôtres, il n'y avait plus aucun galet derrière le rideau de douche ni dans la pharmacie. J'allais ressortir quand un éclat scintillant dans l'aquarium a attiré mon attention. Le galet blanc nacré trônait au milieu des plantes aquatiques et des poissons exotiques! Notre prof a annoncé de sa voix de stentor:

– Vous touchez au but, les amis! Il ne reste que deux galets à découvrir!

– Non, il n'en manque qu'un! ai-je lancé en accourant.

J'ai ouvert ma main dégoulinante d'eau pour lui montrer ma trouvaille!

– Hé, hé, le galet de l'aquarium ! s'est-il écrié les yeux brillants de plaisir. Bravo Alice ! Tu es une fine observatrice. Et maintenant, qui va mettre la main sur le dernier galet ?

Patrick, en nage, a soupiré :

– On a déjà cherché partout…

– Et vous, savez-vous où il est, le dernier ? a questionné Marie-Ève, le feu aux joues tellement elle avait chaud, elle aussi.

– Oui, a répondu monsieur Gauthier.

– Oh, dites-le-nous ! a supplié Jade. S'il vous plaît !

Souriant au milieu des cailloux qu'on avait déposés à ses pieds, il a déclaré :

– Je vous donne un indice : le galet manquant se trouve ici même, dans l'entrée.

Une partie de la classe s'est ruée de nouveau vers la garde-robe. Ça ne servait à rien d'aller m'agglutiner avec les autres. Où notre enseignant avait-il pu cacher le galet turquoise, le plus beau de tous, à mon avis ? À part une étagère sur laquelle étaient posés des livres de magie et sous laquelle se trouvaient une paire de chaussures de course (ainsi que les sandales d'Astrid Vermeulen qui, à côté, paraissaient minuscules), il n'y avait pas d'autre cachette possible… Chaussures… TILT ! J'ai glissé ma main dans un des souliers de sport de mon prof. Et j'ai senti quelque chose… **YOUHOUUU !** Triomphante, j'ai extirpé le galet turquoise.

– Bravo Alice ! s'est exclamé monsieur Gauthier. Et félicitations, les amis ! Vous avez mis moins de 20 minutes pour retrouver tous les galets. Avouez quand même qu'ils étaient bien cachés! Et maintenant, ceux et celles qui le souhaitent peuvent décorer mon appartement avec les galets.

– Dans son soulier, beurk, c'est dégoûtant! a dit Éléonore à Audrey en se pinçant le nez.

Levant les yeux au ciel, Marie-Ève a chuchoté à mon oreille:

– Elle m'énerve, Miss Parfaite, mais elle m'énerve!!!

Pendant que nos amis se dispersaient de nouveau dans l'appartement, Marie-Ève a placé plusieurs galets le long du mur de l'entrée. Ce chemin multicolore était du plus bel effet. Le galet turquoise, je l'ai posé sur la table basse du salon.

Désolé, cher journal, mais tu vas devoir attendre demain pour connaître la suite de cette incroyable soirée. Car là, je tombe de sommeil. Pas étonnant: il est 23 h 26. Bonne nuit!

Jeudi 24 juin

7 h 59. Ce matin, les cris de Zoé nous ont tirées de notre sommeil, Caro et moi. Mon réveil affichait 7 h 54. Même si j'étais encore très fatiguée, je me suis levée. Je brûlais d'impatience de continuer à te raconter la fête d'hier. Donc, j'en étais arrivée au moment où on décorait l'appart de notre enseignant avec les galets. Bohumil a surgi devant lui.

– Monsieur, j'ai une question, lui a-t-il dit.

– Je t'écoute.

– En un an, vous avez distribué 67 galets. Si vous enseignez pendant, mettons, 35 ans, vous vous retrouverez avec…

Il a réfléchi un instant avant de poursuivre :

– Avec 2 345 galets. Qu'allez-vous en faire ? Il n'y aura plus de place dans votre appartement.

– Ton raisonnement est excellent, Bohumil, a répondu le prof. Mais je te rassure. C'est pour vous, les premiers élèves de ma vie, que j'ai ramassé et peint les galets. Je compte les réutiliser avec mes futurs élèves. En effet, je n'ai aucune envie de me retrouver enseveli sous les cailloux ! Ni de priver les berges de la rivière de tant de galets, par ailleurs. Et maintenant, les amis, qui a faim ?

– Moi ! Moi ! Moi ! s'est-on tous écriés.

– Mais surtout soif ! ai-je ajouté.

On a suivi notre enseignant à la cuisine. Dans le réfrigérateur se trouvaient deux plats pleins de crudités ainsi que des bouteilles de jus et de boissons gazeuses.

– Allez les porter au salon, nous a demandé monsieur Gauthier. Eduardo et Jonathan, pouvez-vous verser les chips et les nachos dans ces bols ? Moi, je mets les pizzas au four.

Tu ne devineras jamais, cher journal, ce que j'ai *aussi* vu dans le frigo ? Un 2 litres de boisson de soya à la vanille ! Dire que j'étais persuadée que ma mère était la seule à aimer ça… Moi, bien sûr, je n'allais pas étancher ma soif avec du lait de soya ! Je me suis plutôt servi un grand verre de Citrobulles. On a mangé notre pointe de pizza au salon en discutant des vacances.

☺ Jade, la chanceuse, partira deux semaines dans les Caraïbes avec sa famille. Puis, elle fera de la gymnastique à son club Gymnix.

☺ Marie-Ève ira à Ottawa, à son camp d'équitation et quelques jours à la mer, à Ogunquit.

☺ Audrey va rendre visite à ses grands-parents, en Arménie.

☺ Catherine Provencher et Catherine Frontenac passeront une semaine ensemble dans les Laurentides. Leurs parents ont loué deux chalets voisins au bord d'un lac.

– Et vous, monsieur Gauthier, vous allez en Gaspésie? lui a demandé Simon.

– Je passerai un mois là-bas, en effet. Mais je vais d'abord profiter du Festival international de Jazz de Montréal et du Festival d'été de Québec.

Notre prof nous a annoncé, un sourire énigmatique aux lèvres :

– Je m'éclipse dans ma chambre. Je serai de retour dans trois minutes.

– À mon avis, c'est le temps de la magie, a dit Éléonore.

Marie-Ève est partie à la toilette. Se levant, Karim s'est tourné vers moi. Je l'ai suivi. On s'est retrouvés sur le minuscule balcon de la cuisine. Ça faisait du bien de respirer l'air extérieur, malgré la température encore chaude. Un avion est passé au loin.

– Demain soir, je m'envolerai vers Paris, a dit Karim.

– Tu vas à Paris ?! Je croyais que tu partais au Liban !

– On fait simplement escale à Paris. Là-bas, il faudra prendre un deuxième vol pour Beyrouth. Et toi, c'est quand encore que tu pars pour la Belgique ?

– Le 12 juillet.

– Je penserai à toi, Alice. Et je t'enverrai une carte postale pour ta collection.

– Merci ! Tu as mon adresse ?

– Non, tu as raison ! Envoie-moi un courriel ce soir, quand tu rentreras.

– Promis.

Je serais restée des heures comme ça, seule avec lui sur cette terrasse, à regarder le soleil qui se couchait sur la ville. J'aurais eu envie de mettre ma tête sur son épaule, mais bien sûr, je n'ai pas osé. Avec toute cette gang dans l'appartement de monsieur Gauthier, j'avais bien trop peur qu'on nous surprenne ! Voilà d'ailleurs Marie-Ève qui arrivait.

– Ah, tu es là, Alice ! Je te cherchais.

On a rejoint nos amis. Le prof, en costume de presti-digitateur, tenait sa baguette magique d'une main et un jeu de cartes de l'autre. Il a proposé à Jade de mélanger les cartes. Puis, sans les regarder, de les séparer en deux paquets égaux. Il les a effleurés de sa baguette avant de les retourner. La première pile contenait toutes les cartes noires. Et la seconde, toutes les cartes rouges ! HEIN !

Pour le deuxième tour, monsieur Gauthier a demandé à Patrick de signer une carte de son choix avant de la glisser dans le paquet de cartes. Notre enseignant a repris toutes les cartes. Il a dit une formule magique et HOP, il a lancé son jeu en l'air ! Une pluie de cartes est retombée sur nous. Sauf la carte signée. Elle était collée au plafond ! WOW !

Pour le dernier tour, le magicien a ôté son chapeau noir. Il l'a déposé sur le galet turquoise (qui trônait toujours là où je l'avais posé, sur la table du salon). Il a prononcé une formule magique super compliquée. Je retenais mon souffle… Puis, il a soulevé son haut-de-forme. Le galet turquoise avait disparu !

– Il est où ? a demandé Catherine Frontenac.

Notre prof lui a répondu qu'il se trouvait dans la pièce. On reprenait nos recherches quand, désignant le haut de la bibliothèque, Karim a dit :

– Je parie que le galet turquoise est dans le coffre aux trésors !

Je lui ai fait remarquer que ce n'était pas possible, puisqu'il était cadenassé.

– Je voudrais vérifier, a insisté Karim.

Monsieur Gauthier a descendu le coffret et l'a passé à Karim. Celui-ci l'a penché et on a entendu « BOUM ! ». Le son venait de l'intérieur ! Arrachant la boîte métallique des mains de Karim, Jonathan, au comble de l'excitation, s'est exclamé :

– Il est dedans !

– Aïe! a crié Audrey. Fais donc attention, tu m'as cogné la tête!

– Pouvez-vous nous passer la clé du cadenas, s'il vous plaît? a demandé Bohumil à notre enseignant. On voudrait ouvrir le coffre.

Le prof a soulevé son chapeau qui se trouvait encore sur la table du salon. Dessous, il y avait la clé dorée! Eduardo a ouvert le coffre aux trésors. Il contenait bien le galet turquoise. Eduardo, triomphant, l'a à nouveau posé sur la table du salon. Monsieur Gauthier nous a salués et nous, on l'a applaudi à tout rompre.

Quand on s'est enfin calmés, il nous a déclaré:

– Merci, les amis! Votre magicien préféré a fait apparaître des *popsicles* et des *Mister Freeze* dans son congélateur. Allez-vous servir pendant que je me change.

– C'est exactement ce qu'il nous fallait pour nous rafraîchir! a dit Catherine Provencher en léchant consciencieusement son *popsicle* au citron.

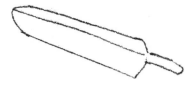

Pendant que je savourais mon *Mister Freeze* rouge, j'ai eu une idée. Lorsque monsieur Gauthier est revenu au salon, je lui ai demandé:

– Je pourrais avoir le galet turquoise, s'il vous plaît? J'aimerais le garder en souvenir de notre 5e année.

– Moi aussi, je le voudrais ! a renchéri Gigi Foster.

– Le galet turquoise, c'est *moi* qui l'ai demandé la première ! ai-je répliqué.

Notre enseignant avait l'air perplexe. Puis, il a dit :

– D'accord, ceux et celles qui ont envie de garder un galet peuvent en apporter un chez eux. Cependant, pour éviter les chicanes, je vais chercher le sac qui contient vos noms. Je l'ai rapporté de la classe.

Le premier nom qu'il a pigé était celui de Simon. J'espérais très fort que mon nom sorte avant celui de la perfide JJ Foster. J'étais persuadée que si elle aussi convoitait le galet turquoise, c'était uniquement pour m'embêter. Monsieur Gauthier a continué à nous nommer un par un :

– Eduardo, Africa…

Étendant le bras, Africa a saisi le galet turquoise. Dommage… il ne décorerait jamais ma table de chevet. Ma seule consolation était qu'il échappait également à mon ennemie publique no 1. Notre prof a continué à tirer les noms du sac. Le mien a fini par sortir. J'ai parcouru l'appartement qui comptait encore plusieurs dizaines de galets, cette fois bien mis en évidence. Mon choix s'est finalement porté sur le vert lime. Marie-Ève, elle, avait pris le galet argenté.

La sonnette a retenti. Oh non, pas déjà… Cette soirée était tellement géniale qu'on en avait oublié l'heure. On s'est précipités sur le palier pour voir qui allait partir le premier… Zut, c'était moi ! Mon père a émergé de la cage d'escalier tandis que le molosse du 2ᵉ étage s'époumonait de nouveau. J'étais gênée. Pourquoi poupou n'était-il pas venu un peu plus tard, comme les autres parents? J'ai salué tous mes amis et j'ai remercié monsieur Gauthier. On s'est souhaité de bonnes vacances. Quelqu'un d'autre a sonné. Pendant que papa et moi on descendait, on a croisé plusieurs parents qui montaient à leur tour vers le 4ᵉ étage.

14 h 15. Caro et moi, on se prépare à partir avec papa au parc Maisonneuve. Comme l'an dernier, on assistera au spectacle de la fête nationale. Dommage que Lola Falbala n'y participe pas! Mais, c'est vrai, elle ne chante pas en français.

Vendredi 25 juin

Hier, on est rentrés tard du spectacle. Alors, aujourd'hui, je prends ça **COOL**. Ma mère veut que je range ma chambre, mais ça peut attendre. Après tout, c'est seulement le deuxième jour des vacances. Je me suis plongée dans le *MégaStar*, avec Kevin Esposito en couverture. Son nouveau film sortira cet été. Je me promets d'aller le voir avec Marie-Ève ! Bref, j'ai dévoré mon magazine préféré de la première à la dernière page. Puis, toujours en pyjama, je suis descendue à l'ordi. Un courriel d'oncle Alex m'attendait.

De : Alex Aubry
Envoyé : 25 juin
À : Alice Aubry
Objet : Un bonjour du Mexique

Chère Alice,
J'espère que tes vacances ont bien commencé. Pablo, Steeve et moi poursuivons notre voyage le long de la frontière Mexique-États-Unis. Cette semaine, nous avons rencontré un artiste mexicain. Retournant dans sa région natale après une longue absence, Alejandro Santiago a été frappé par le fait que presque tous les jeunes hommes étaient partis vivre aux États-Unis. Rêvant d'une vie meilleure, ils avaient franchi illégalement la frontière américaine. Même si cet artiste possède

un passeport et un visa pour se rendre aux États-Unis, il a voulu partager l'expérience des autres, c'est-à-dire traverser lui aussi la frontière clandestinement. Il s'est joint à un groupe d'immigrants, pour mieux comprendre ce qu'ils vivent : la peur, l'angoisse d'être pris, le désespoir quand c'est le cas et qu'ils sont reconduits au Mexique.

C'est d'ailleurs ce qui est arrivé à Alejandro Santiago lors de sa première tentative pour arriver aux États-Unis. Mais la deuxième fois, il a réussi. Alors, pendant trois ans, il a sculpté 2 501 statues en terre cuite. Elles représentent des immigrants illégaux. Il a aussi réalisé un film sur le sujet. En écoutant parler Alejandro de ses compagnons d'infortune et en regardant les photos de ses sculptures, je ressentais la détresse humaine de ces gens qui veulent fuir la misère. Bref, une très belle rencontre parmi d'autres.

À bientôt !
Oncle Alex.

J'ai beaucoup d'admiration pour mon oncle qui, avec ses photos, va mieux faire connaître le sort de ces immigrants illégaux. Mais ça me serre le cœur de savoir qu'il y a des gens vraiment démunis, prêts à risquer leur vie pour tenter d'échapper à la pauvreté. Bref, je me rends compte que j'ai beaucoup de chance. Ma famille n'est pas riche. Mais, si on compare notre mode de vie à celui de certaines autres personnes, ailleurs dans le monde ou même ici à Montréal, alors je me dis que oui, on est riches. On possède une maison, un frigo rempli de bonnes choses (et de tofu, mais bon…), une mini-fourgonnette, etc., etc.

11 h 15. Ordi… courriel… Oups, j'ai complètement oublié d'envoyer mon adresse à Karim, hier soir! Je lui ai plutôt téléphoné. Fiouuu… Il se trouvait encore chez lui, en train de boucler sa valise. Je lui ai donné mon adresse, puis on a pu parler quelques minutes encore. Je sens que ces neuf semaines sans lui me paraîtront interminables…

16 h 02. Après le dîner, je me suis installée au fond du jardin avec le 3e roman de la série *Passion équitation*. Son titre? *L'été à Yellowstone*. Ça tombe bien: une vraie lecture de vacances! Caroline est venue lire près de moi. Quand j'ai eu fini le 2e chapitre, j'ai dit à ma sœur:
– J'aurais envie d'un grand verre de Citrobulles!
– Moi aussi, mais il n'y en a pas.
(Ça, je le sais. Moumou n'en achète jamais, sauf pour les fêtes…)
– Par contre, ce matin, j'ai vu le moule à *popsicles* sur le comptoir, a expliqué Caro. Je vais aller voir si maman a fait des *popsicles* à l'orange. S'il y en a, j'en prends un pour toi aussi?
– D'accord.
À défaut de Citrobulles, un *popsicle* serait le bienvenu.

–HAAAAAA!

Le hurlement provenait de la maison. Me levant précipitamment, j'ai volé au secours de ma sœur. Car pour crier de la sorte, elle devait être attaquée par un cannibale! En arrivant dans la cuisine, je suis entrée en collision avec Caro qui en sortait.

– Ça va?! lui ai-je demandé. Tu t'es fait mal?

– Non, mais je REFUSE de manger des *popsicles* aux épinards!

– Aux épinards?! ai-je répété, incrédule.

– Oui, tu as bien entendu, a déclaré ma sœur, hors d'elle. Maman a fabriqué des *popsicles* aux épinards!

Comme preuve, elle a agité un *popsicle* d'un vert presque noir sous mon nez. Horreur absolue! Astrid Vermeulen tente régulièrement de camoufler du tofu dans ses plats. Surtout depuis qu'elle a eu l'idée d'écrire un livre sur cet aliment bizarre. Mais si elle s'imagine qu'elle va remplacer nos inoffensifs *popsicles* à l'orange par des *popsicles* aux épinards, alors là, elle se trompe! Caro et moi, on va faire la révolution!

Non aux popsicles aux épinards!!!

Justement, la coupable arrivait.

– Que se passe-t-il? Pourquoi criez-vous comme des sauvages? Arrêtez de vous disputer, vous allez réveiller Zoé!

– On ne se chicane pas, a répliqué Caroline. Le problème, c'est que nous, on n'en veut pas de tes *popsicles* aux épinards! On te les laisse!

Maman a eu l'air interloquée. Puis, elle s'est mise à rire de bon cœur.

– Voyons, les filles, ce ne sont pas des *popsicles*! Ce sont des épinards pour Prunelle. Je me suis aperçue, ce matin, que j'avais déjà utilisé tous les moules à glaçons pour stocker ses purées de bébé. Alors, j'ai eu l'idée de congeler la purée d'épinard dans les moules à *popsicles*.

– Mais tu sais bien que Zoé déteste les épinards! ai-je déclaré. Tu ne te rappelles pas ce qui est arrivé à mon tee-shirt de Lola Falbala, la première fois que tu as voulu lui en faire goûter?!

– Bien sûr. Mais il ne faut pas déclarer forfait au premier essai. Avec les bébés, ça peut prendre du temps pour apprivoiser un nouvel aliment.

– Bonne chance! En tout cas, ne compte plus sur moi pour lui donner sa purée!

– Et prévois une armure pour l'occasion! a ajouté Caro.

Je me suis rendue aux toilettes. «Pauvre petite sœur, ai-je pensé. Elle est victime de l'excès de zèle de sa mère diététiste!» En passant devant la porte de sa chambre, je l'ai entendue babiller, puis s'esclaffer de son petit rire cristallin. Si Zouzou se doutait du complot que trame maman, elle rirait jaune.

20 h 48. Ce soir, Zoé était très fatiguée. Maman l'a mise au lit. Et nous, on en a profité pour regarder le film d'animation *Là-haut*. On s'est installés tous les quatre sur le grand lit de mes parents. Le film venait à peine de commencer quand quelqu'un a sonné à la porte. Papa est allé ouvrir. Il est venu me dire :

– C'est Africa.

Je suis descendue.

– Salut Africa ! Comment vas-tu ?

– Très bien, Alice, merci. Et toi ?

– Moi aussi. C'est cool d'être en vacances !

– Et d'être enfin en congé de madame Fattal ! a ajouté mon amie en me faisant un clin d'œil. Enfin, je ne suis pas venue pour te parler d'elle, mais pour t'apporter quelque chose. Ferme tes yeux et tends ta main.

Ce qu'elle a déposé au creux de ma paume était frais, assez lourd... un galet ! J'ai ouvert les yeux. Hein, le galet turquoise ?!

– Il est pour toi ! a déclaré Africa, ravie de sa surprise. Tu avais tellement l'air d'y tenir, à ce galet ! Et, lorsqu'une fois de plus, Gigi s'est mise en tête de t'achaler, j'ai eu une idée. Je me suis dit que si mon nom sortait avant le tien et celui de Gigi, je choisirais le galet turquoise pour te l'offrir par la suite. Mais je tenais à le faire discrètement, sans chercher à provoquer Gigi. C'est pour cette raison que je ne te l'ai pas donné le soir même. Je suis déjà passée hier après-midi, avec mon père, mais il n'y avait personne.

Un taxi attendait devant la porte. (Le père d'Africa est chauffeur de taxi.) Je me suis exclamée :

– Oh, Africa, tu es trop gentille ! Merci ! Ça me fait vraiment plaisir. Le galet turquoise est le premier que monsieur Gauthier a distribué, au début de l'année scolaire. C'était moi qui l'avais gagné. C'était aussi le dernier qui restait à trouver avant-hier soir, lors de la chasse aux trésors, et je l'ai découvert. De plus, comme tu le sais, le turquoise est ma couleur préférée. Je suis sûre qu'il me portera chance, ce caillou ! Mais nous allons faire un échange. Moi, je te passe le galet vert lime.

– C'est vrai ? s'est écriée mon amie. Merci ! J'adore cette couleur.

Caroline est apparue en pyjama.

– Bonjour Africa, a-t-elle fait. Dis, Alice, tu viens ? Sinon, on recommence le film sans toi.

Je suis allée chercher le galet vert dans ma chambre et l'ai donné à Africa. On s'est embrassées et je suis montée rejoindre ma famille. On a regardé *Là-haut* et me voilà, cher journal ! Le galet turquoise trône à présent sur ma table de chevet, devant la photo de Grand-Cœur.

À cette heure-ci (21 h 03), Karim doit se trouver dans l'avion vers Paris. Bref, il s'éloigne de moi à la vitesse de 1 000 km/h. Hum, je connais l'expression *Loin des yeux, loin du cœur*. J'espère que Karim ne m'oubliera pas, là-bas ! Il me manque déjà, mais, au moins, je le retrouverai à la rentrée. De nouveau, on partagera un sac de chips BBQ, on fera équipe pour des travaux scolaires, et on se téléphonera souvent le soir. Il me passera discrètement d'autres messages sur des feuilles de brouillon pliées en huit. Et peut-être qu'un jour, on s'embrassera encore. Sans que JJ Foster débarque dans le décor !

Samedi 26 juin

Cet après-midi, nous sommes allés cueillir des fraises dans un champ à Laval. Papa a payé quatre paniers qu'on a remplis de fraises bien rouges, juteuses et parfumées. Tout en en mangeant, bien sûr, elles sont tellement bonnes ! Mon seul regret était que Marie-Ève ne soit pas là pour en profiter, elle aussi. Car ma meilleure amie est 100 % fraise.

En revenant à la maison, je suis allée à l'ordi. Oh, un courriel de Julien Gauthier ! Avec les photos prises en classe ! Celle de Karim et moi est super ! Je vais demander à papa de me l'imprimer. Je la collerai sur la page couverture de mon cahier bleu. Sur lola-falbala.com, trois nouvelles m'attendaient :

♥ Lola et Tom Thomas, le chanteur des Tonic Boys, sortent ensemble ! HEIN ! ! ! Ils se sont rencontrés lors d'une soirée et ils ont eu le coup de foudre. Il est plus jeune qu'elle (il a 21 ans et elle 26), mais pour eux, ça n'a aucune importance ! Seul compte l'amour.

♥ Le 2e album de Lola Falbala sortira le 6 août. Son titre : *Fabulous Falbala* !

♥ Le 7 août, la chanteuse partira en tournée. Curieuse, j'ai cliqué sur l'onglet *La tournée de Lola* et je suis restée bouche bée ! Après Los Angeles, Las Vegas, Chicago, New York et Toronto, Lola Falbala sera le vendredi 20 août à Montréal !

Je me suis pincée. Mais non, je ne rêvais pas. Je suis allée chercher le téléphone et j'ai composé le numéro de Marie-Ève à Ottawa. C'est elle qui a répondu.

– Allô.
– Bonjour Marie-Ève! Comment vas-tu?
– Oh, Alice, comme c'est gentil de m'appeler! Ça va très bien, et toi? Karim ne te manque pas trop?

J'ai réalisé que je n'avais pas encore eu l'occasion de lui confier certaines choses: la vague d'émotions qui m'avait submergée au moment de quitter l'école, Karim qui m'avait consolée, le fait qu'on s'était embrassés sur la joue dans les toilettes et que JJ la fouine nous avait surpris... Après avoir fermé la porte de ma chambre, j'ai tout raconté à ma meilleure amie. Ça m'a fait du bien. Puis, je me suis rappelé la raison de mon appel.
– J'ai un *scoop*! lui ai-je annoncé. Lola Falbala vient à Montréal le 20 août!

Marie-Ève n'en revenait pas, elle non plus. Je lui ai dit:
– Ce serait cool, non, d'assister à son concert?
– Tellement! Pas question de rater ça, Alice! Je vais en parler à mes parents. Enfin, à mon père. Puis, je téléphonerai à ma mère. Je m'arrangerai pour être chez elle, ce jour-là. Et je lui demanderai de nous amener là-bas. Elle aime beaucoup les chansons de Lola Falbala.

Bref, on a convenu:
☺ que moi aussi, j'en parlerais à mes parents;
☺ de se rappeler une demi-heure plus tard.

En raccrochant, j'ai entendu papa rire sur la terrasse. Il jouait avec Zoé. Me penchant par la fenêtre, je lui ai parlé du concert de Lola Falbala.

– Si la mère de Marie-Ève vous accompagne, je n'y vois pas d'inconvénient, m'a-t-il dit.

– YÉÉÉÉÉ!!!

Je m'apprêtais à bondir sur mon lit quand poupou a ajouté :

– Un instant, Alice. Je voudrais demander à ta mère ce qu'elle en pense.

Dans la cuisine, ça sentait divinement bon. Moumou versait la confiture de fraises dans les pots. Lorsque je lui ai parlé du concert, elle a refusé net.

– Mais papa a dit oui !

– Enfin, oui, si toi aussi tu étais d'accord, a prudemment répondu mon père.

– Mais je ne suis *pas* d'accord, a déclaré maman. À 10 ans, on ne va pas à un concert rock ! Ça n'a pas de sens !

– La musique de Lola Falbala, c'est pas du rock mais du pop !

– Rock ou pop, Alice, c'est pareil.

Je l'ai implorée.

– Tu oublies que le jour du concert, j'aurai mes 11 ans, moumou ! Et que la mère de Marie-Ève sera avec nous…

– Je t'ai déjà dit que je n'étais pas Stéphanie Poirier. Moi, j'avais 15 ans 1/2 quand j'ai assisté à mon premier spectacle de musique pop.

Je n'ai pu m'empêcher de m'exclamer :

– Mais, maman, tu es d'une autre génération ! Aujourd'hui, on n'est plus à la préhistoire.

– Merci !

Bref, je suis 100 % déçue.

Le téléphone a sonné. La mort dans l'âme, j'ai répondu. C'était bien Marie-Ève et, elle, elle était tout excitée. Ses parents avaient accepté et sa mère était d'accord pour nous accompagner au concert.

– Malheureusement, vous serez seulement toutes les deux, ai-je précisé d'un ton lugubre.

– Quoi ?! Tu ne peux pas venir ?!

– Ben non. Ma mère ne veut pas.

– Pourquoi ? Tu lui as dit que maman ne nous quitterait pas d'une semelle ?

– Oui, je lui ai *tout* dit, mais ça n'a servi à rien.

– Je vais demander à ma mère de parler à la tienne.

– C'est gentil. On peut toujours essayer, mais je ne sais pas si ça la fera changer d'avis.

Je suis frustrée, mais alors frustrée… Pourquoi n'ai-je pas une mère cool, moi aussi ?

Dimanche 27 juin

Ce matin, on a sonné à la porte. C'était Marie-Capucine, son petit frère et leur maman, qui habitent au n° 7 de notre rue. Comme madame Bergeron n'avait jamais rencontré

145

ma mère, elle s'est présentée. Ensuite, elle a expliqué la raison de sa présence.

– Je cherche une gardienne pour vendredi soir, de 18 h à 21 h. Et Marie-Capucine voudrait que ce soit toi, Alice.

Avant que j'aie eu le temps de répondre, moumou est intervenue :

– Alice n'a pas encore 11 ans, madame.

– Ça ne me dérange pas. Votre grande fille semble très responsable pour son âge. Je la vois parfois promener la petite Zoé en poussette.

– Vous avez raison. Mon aînée s'occupe très bien de ses sœurs. Mais elle est encore trop jeune pour garder ailleurs.

J'ai protesté :

– J'aurai 11 ans le 15 août, maman !

– Tu pourrais commencer à garder chez nous à ce moment-là, m'a proposé madame Bergeron. Jean-Sébastien aura déjà 2 ans, si ça peut rassurer ta maman. Qu'en penses-tu ?

– J'aimerais beaucoup, lui ai-je assuré.

– On verra, a dit maman. Normalement, on commence à garder quand on est au secondaire.

Se campant devant ma mère, la petite Marie-Capucine, toute de rose vêtue, a déclaré :

– Moi, *ze veux* Alice, comme gardienne ! Elle est *déza* TRÈS grande !

(Merci, Marie-Capucine !)

– On verra, on verra, a répété Astrid Vermeulen.

146

Une fois les Bergeron repartis, je lui ai lancé :

– C'est pas juste ! Si au moins, tu m'avais laissée garder, j'aurais pu gagner des sous pour acheter le billet du spectacle de Lola Falbala !

– Il ne s'agit pas d'une question d'argent. Les concerts pop, ce n'est pas pour les jeunes du primaire !

– Eh bien moi, j'ai hâte d'arriver au secondaire, pour que tu arrêtes de me traiter comme un bébé !

– Calme-toi, Alice, et parle-moi sur un autre ton, s'il te plaît. L'adolescence est une autre étape, mais nous n'y sommes pas encore.

– La 6e année est *aussi* une grande étape. Tu me laisseras au moins aller garder les petits Bergeron à la rentrée ? Écoute, moumou, si jamais j'avais le moindre pépin chez eux, je n'aurais qu'à vous appeler. En moins de deux minutes, papa ou toi vous seriez là ! Allez, ma petite moumou. J'aimerais tant gagner un peu d'argent de poche !

Maman m'a souri.

– En tous cas, tu défends bien ta cause, Biquette ! C'est vrai que tu es vaillante, et je suis fière de toi. J'en parlerai à papa.

18 h 15. Marie-Ève vient de m'appeler. Pour le concert, c'était fait. Sa mère avait réservé leurs places, mais pas n'importe lesquelles.

– On sera à cinq rangées seulement de la scène ! s'est exclamée mon amie.

– Hein ? ! Mais ces places doivent coûter une fortune ! lui ai-je fait remarquer.

– Normalement oui, mais maman a seulement payé 35 $ par personne. Une de ses clientes travaille pour le Centre Bell. C'est comme ça qu'elle a pu obtenir nos billets à un prix vraiment raisonnable.

– Tu as tellement de chance, Marie-Ève…

– Je le sais, Alice. Je suis désolée pour toi. Écoute, on se reprendra une prochaine fois, toutes les deux. En attendant, je prendrai des photos de Lola pour toi.

Lundi 28 juin

Sur le site de Lola Falbala, il est indiqué que tous les billets pour le concert de Montréal sont vendus. Tout espoir s'est envolé. C'est trop injuste !

Mardi 29 juin

Catherine Provencher m'a appelée. Elle et Catherine Frontenac ont décidé d'aller au Carrefour Laval, demain. Audrey et Africa seront là elles aussi. Éléonore n'est pas libre et Jade, elle, est déjà partie en vacances. Catherine me proposait de les accompagner. Passer un après-midi là-bas sans nos parents, ce serait trop cool !

– Attends-moi un instant, ai-je dit. J'en parle à ma mère.

Aïe, aïe, aïe… Moumou allait-elle refuser que je me promène avec mes copines au centre commercial sous prétexte que je ne suis pas encore au secondaire ? Quand même pas.

Fiouuu !... Non seulement elle a accepté de me conduire là-bas, mais, de plus, elle a eu l'idée de faire d'une pierre deux coups. Tant qu'à aller au centre commercial, nous en profiterons pour acheter les cadeaux que j'apporterai en Belgique. Ainsi que ce qu'il me manque pour l'été, c'est-à-dire :

♥ 1 paire de sandales ;
♥ des gougounes (plus moyen de mettre la main sur celles de l'an dernier et d'ailleurs, elles étaient pas mal usées) ;
♥ 2 tee-shirts ;
♥ 1 short ;
♥ 1 maillot de bain.

Nous mangerons un bon déjeuner copieux et nous partirons en fin de matinée au centre commercial. Après nos achats, ma mère me laissera sur la grande place intérieure du Carrefour Laval et retournera à la maison avec Zoé. Mes amies et moi, on a rendez-vous à 14 h devant le kiosque de crème glacée. À 17 h, le père de Catherine Provencher viendra nous chercher, elle et moi, et me déposera à la maison. Si tu savais, cher journal, comme j'ai hâte d'être demain ! Mais rien n'est parfait... En effet, moumou a mis une condition : elle exige que pour ce soir, ma chambre soit rangée (bureau et garde-robe y compris). Bon, je te laisse, car un boulot monstre m'attend. Je vais mettre mon CD de Lola Falbala dans le lecteur du salon et travailler au rythme de la musique.

19 h 27. Mission accomplie ! Ma chambre est nickel. J'ai tout sorti de ma garde-robe et j'ai même nettoyé mes

étagères. En fait, elles sont presque vides, car j'ai fait un tas avec mes vêtements trop petits. Et ce qui me va encore a atterri dans le panier à lavage. J'ai fini par dénicher mes vieilles gougounes, mais elles sont trop serrées. J'ai proposé à Caro :

– Tu les veux ?

Ma sœur s'est exclamée :

– Tu me les donnes ? Oh, merci Alice ! J'ai toujours aimé tes gougounes !

Puis, elle m'a collé un gros bisou sur la joue.

– Ah oui ? ! Toi aussi Caro, pourtant, tu en as des roses…

– Oui, mais les tiennes, elles sont rose cochon !

Au fond de la garde-robe, j'ai même retrouvé une affiche de Tom Thomas que m'avait passée Marie-Ève, il y a bien longtemps. Malheureusement, elle est toute froissée. Tant pis. Je l'ai portée dans le bac de recyclage. Je suis si poussiéreuse que je ressemble à Cendrillon. Bref, je file sous la douche.

19 h 58 : En revenant dans ma chambre bien rangée, j'ai réalisé que quelque chose clochait, mais quoi ?

L'affiche de Tom Thomas…
Rose cochon… Qu'est-ce que ma chambre a de bizarre ? ? ?

20 h 13. Toutes ces idées me trottaient dans la tête quand soudain, TILT ! Les pièces du casse-tête se sont emboîtées d'un seul coup. J'ai compris ce qui n'allait pas : le vieux papier

peint **avec les agneaux et les arcs-en-ciel**!!! Il est toujours là… Papa m'avait promis qu'on l'enlèverait pendant les vacances d'été et qu'on repeindrait les murs. C'était pour ça que j'avais mis le poster de Tom Thomas de côté, en attendant d'avoir une belle chambre. Mais le problème, c'est que je la partage avec Caro et que nous ne nous entendons pas sur la couleur de la peinture. Elle veut une chambre « rose cochon ». Mais moi, je dis NON !

20 h 28. Papa est toujours d'accord pour redécorer ma chambre… pendant ses vacances à lui, au mois d'août. D'ici là, il faut que je trouve le moyen de faire changer ma sœur d'idée. Pour arriver à mes fins, je vais devoir user de diplomatie. De quelle façon, je n'en sais encore rien. À suivre, cher journal…

Mercredi 30 juin

Sortie entre filles ! Yé !

En arrivant au centre commercial, ma mère, Zoé et moi, on est parties à la recherche de sandales. Celles que j'ai prises sont rose vif. Mon nouveau short, lui, est en jeans. J'ai aussi acheté un tee-shirt trop mignon avec *Snoopy* qui sautille, tout content + un autre tee-shirt vert émeraude.

Pour ses neveux belges, maman avait dans l'idée de leur offrir un livre… Mais moi, je l'ai plutôt entraînée du

151

côté de la boutique de vêtements pour ados. J'ai eu un coup de cœur pour un tee-shirt orangé avec de superbes motifs. J'espère qu'il plaira à ma cousine Lulu. Mon cousin Quentin, lui, devrait être content avec son tee-shirt de *skate* (noir et vert vif). Moumou, qu'un aimant semble irrésistiblement attirerrrrrrrr vers la librairie, a au moins pu y choisir un bouquin pour sa sœur Maude (un guide sur New York). En effet, ma tante rêve, lors de son prochain séjour au Québec, de passer également une semaine dans la Grosse Pomme.

– Et pour mamie Juliette ? ai-je demandé.

– Tu lui apporteras du sirop d'érable, m'a répondu maman. Rien ne lui fera plus plaisir.

Bref, on avait été efficaces, toutes les deux. Il était 13 h 39 et il nous manquait encore le maillot. Heureusement, dans la vitrine d'un magasin, j'ai repéré ce que je voulais ! Désignant le bikini turquoise avec des fleurs jaunes, j'ai déclaré :

– C'est lui que je veux essayer.

– Je préférerais que tu prennes un maillot sport, Alice. Comme ça, tu l'auras pour la rentrée. On avait parlé de te réinscrire aux cours de natation à la piscine Sophie-Barat, tu te souviens ?

– Pour les cours, on verra, mais maintenant, nous sommes en été. Je voudrais tellement avoir ce bikini. J'en ai un peu marre des maillots sport !

– Bon, allons voir s'ils ont ta taille.

Il ne leur restait qu'un X-Small et un X-Large.

Dans une cabine d'essayage, j'ai essayé le bikini X-Small. Il m'allait à merveille.

– Et puis ? a demandé maman.

– Il est parfait !

– Montre-le-moi, s'il te plaît.

– C'est pas nécessaire.

– J'aimerais le voir. Je veux m'assurer qu'il ne soit pas trop petit.

Ma mère a toujours peur que ce soit trop petit… J'ai protesté :

– C'est gênant ! Tout le monde va me voir !

– Mais non, il n'y a personne dans le salon d'essayage, à part Zoé, toi et moi.

À contrecœur, j'ai entrouvert le rideau. Elle et Zouzou ont envahi ma cabine.

– Tu as raison, Biquette, ce bikini te va vraiment bien ! Et il est soldé à moitié prix, alors, c'est d'accord.

Il n'y avait plus de gougounes turquoise à ma pointure. Par contre, j'en ai trouvé des jaunes.

– Tant qu'on y est, tu n'as plus besoin de rien ? a demandé maman.

Il me semblait que oui, mais je ne me rappelais plus quoi. Et puis, c'était l'heure de retrouver mes amies.

De loin, j'ai aperçu Audrey. Elle discutait avec les 2 Catherine. J'ai salué maman et Zoé et je me suis dirigée vers mes amies. Africa nous a rejointes.

– On y va ? ai-je demandé.

– Pas tout de suite, a dit Audrey. On attend Gigi.

Quoi?! Gigi Foster allait passer l'après-midi en notre compagnie?! Quelle idée de l'avoir invitée, celle-là! Comme si ça ne suffisait pas que je doive la subir chaque jour de l'année scolaire. Je n'avais aucune envie, en plus, de passer mes vacances en sa compagnie... Si j'avais su qu'elle allait être là, je ne serais pas venue.

Mon ennemie publique n° 1 m'a ignorée tout l'après-midi. Moi aussi, et je me suis bien amusée avec les autres. On a vu un magasin qui vend des poufs comme celui de Marie-Ève (qui prennent notre forme quand on s'y assoit). On les a essayés. Catherine Frontenac a décrété que c'est ça qu'elle demanderait pour ses 12 ans (l'hiver prochain). Puis, Catherine Provencher a dit:
– Vous n'avez pas faim, les filles? Si on allait se chercher une crème glacée?

Quelques minutes plus tard, on se promenait dans le centre commercial en dégustant notre cornet de crème glacée. (J'ai choisi une boule à la vanille et l'autre aux cerises.) Dans un magasin de chaussures, j'ai aperçu une paire de gougounes merveilleuses. Pas de bêtes gougounes en plastique, non, des gougounes chic en cuir noir. Mais ce qu'elles avaient de spécial, c'était leur bride noire, brillante, avec des reflets argentés. Je les ai essayées. Elles m'allaient vraiment bien. Je m'imaginais déjà avec ces gougounes élégantes, ma mini-jupe et mon tee-shirt de Lola Falbala. J'aurais fière allure! Mais bon, mon fabuleux tee-shirt avait fini dans un dépôt d'ordures.

Et ces gougounes de rêve coûtaient une petite fortune, même si elles étaient en solde (29 $ + taxes)… Or, il ne me restait qu'un peu de monnaie. Si j'avais de l'argent de poche, au moins, j'aurais pu me les offrir… J'ai hâte de garder Marie-Capucine et son petit frère. Pendant que je réfléchissais à tout ça, Catherine Provencher a essayé « mes » gougounes.

– C'est vrai qu'elles sont belles, ces tongs ! Si tu ne les prends pas, Alice, c'est moi qui les achète.

– Elles ne sont pas un peu juste pour toi ? lui ai-je demandé. (Voilà que j'attrape la même manie que ma mère, maintenant !)

– Non, pour cet été, ça ira. De toute façon, ils n'ont plus la pointure au-dessus et je les aime trop.

Avec son iPod, Africa a pris des photos pendant qu'on essayait des chapeaux et des lunettes de soleil. On a ri comme des folles ! (C'est décidé, moi, pour mon anniversaire, je demanderai un iPod. Ça fait longtemps que j'en rêve !) Dans un magasin de bijoux de fantaisie, Audrey s'est offert une série de bracelets argentés comme ceux de Lola Falbala. Normalement, l'ensemble coûte 9,99 $, mais ils étaient soldés à seulement 2 $! Une aubaine ! On a regardé les boucles d'oreilles.

– Il y a deux jours, ma sœur est revenue à la maison avec un petit anneau ici, nous a conté Catherine Frontenac, en désignant le haut de son oreille.

– Laurie ? ai-je demandé.

– Non, Léa.

Léa est la sœur aînée de Catherine. Elle vient de terminer sa 4e secondaire.

– Ça doit être beau, a dit Gigi Foster.

– Moi je trouve que oui, mais ma mère, elle, en a fait tout un drame ! Au printemps, quand Léa lui avait annoncé qu'elle voulait se faire faire un *piercing,* elle le lui avait interdit. Elle disait que c'était dangereux, les *piercings* dans le cartilage, qu'on pouvait attraper des microbes. Alors, cette fois, ma sœur a mis ma mère devant le fait accompli. J'étais un peu inquiète, moi aussi. Mais Léa m'a rassurée. Elle m'a dit que maman exagérait, que les infections à cause d'un *piercing,* c'est des légendes urbaines. Je lui ai demandé ce que c'était, des légendes urbaines. Elle m'a répondu qu'il s'agissait d'histoires fausses qu'on colporte pour faire peur aux gens. Léa a plusieurs amis qui ont des *piercings,* et il n'y a jamais eu le moindre problème. Des fois, je la trouve trop stricte, ma mère.

– La mienne aussi…, ai-je soupiré. J'imagine sa tête si, à 16 ans, je lui annonçais que je voulais me faire percer la lèvre ou le nombril ! ! !

– Moi, j'ai de la chance ! a déclaré Audrey. Ma mère n'est pas sévère. Et d'ailleurs, si, plus tard, j'ai envie d'un *piercing,* elle ne pourra rien me dire.

– Pourquoi ? a demandé Africa.

– Parce qu'elle a un petit diamant dans la narine. Et un tatouage à la cheville.

Tout en discutant, on est rentrées dans un grand magasin de vêtements et d'accessoires mode.

– Venez voir, les soutiens-gorge pour les jeunes sont en super spécial! a lancé Audrey. Aujourd'hui seulement, ils sont à 2 pour 10 $. Je les trouve vraiment mignons, surtout ceux avec les coccinelles.

Mes amies se sont approchées. Moi, j'étais gênée, car je ne porte même pas encore de « top », sous mes tee-shirts. Je regardais ailleurs, comme si j'étais dans la lune.

Passant à côté de moi, Gigi Foster a susurré:
– C'est pas pour les bébés, ce rayon!

Piquée au vif, j'ai haussé les épaules en murmurant:
– Je ne suis *pas* un bébé.

À ce moment-là, TILT! Je me suis souvenue que c'était ça aussi que j'aurais voulu acheter avec maman, tout à l'heure: mon premier « top »! Mais c'était trop tard. Zut de zut!
– Bon, il est presque 17 h, les filles, a lancé Catherine Provencher. Je ne veux pas faire attendre mon père. On y va?

Vendredi 2 juillet

Ce matin, Caro et moi, on s'est réveillées en même temps. On est descendues à la cuisine. Maman, qui s'amusait avec Zoé, avait l'air enchantée. D'accord, elle est toujours heureuse de voir ses filles, mais il devait y avoir quelque chose de plus. J'avais raison, car après nous avoir embrassées, elle a lancé:
– J'ai une grande nouvelle à vous annoncer!
– Tu attends un bébé! s'est écriée ma sœur.

– Tu n'y es pas, Ciboulette. J'ai trouvé le titre de mon futur livre !

Pfff… son bouquin sur le tofu…

Faisant semblant de m'y intéresser, je lui ai demandé :

– Et c'est quoi ?

– *Tofu tout fou !*

Je suis restée muette de stupeur. Puis, j'ai avalé ma salive avec difficulté et on a entendu GLOUPS. J'ai fini par dire à maman :

– Ahhh… c'est, c'est pas mal. C'est même très bien. Bon, je vais à la toilette.

Tofu tout fou !!! Déjà qu'un livre sur le tofu, c'est gênant. Il y a des mères qui rédigent des romans, de la poésie, des livres sur la santé ou même des BD. Mais moi, par malchance, je suis tombée sur une mère qui écrit sur le 𝕋𝕆𝔽𝕌. Et comme si ce n'était pas assez, ce livre s'appellera *Tofu tout fou !* C'est vraiment le comble du ridicule. Tu t'imagines, cher journal, je suis la fille aînée de la future auteure de *Tofu tout fou !* La honte ! Je ne sais pas si j'arriverai à m'y habituer.

10 h 43. *Tofu tout fou !…* Selon moi, il n'y a rien de moins fou qu'un bloc de tofu. Ou qu'une barquette de tofu soyeux. Pourquoi pas *Tofu tout mou,* tant qu'elle y est ? Ou *Tofu moumou ?* Si ça continue, c'est moi qui vais « virer folle » avec ces histoires de tofou, euh, de tofu. Bon, je m'en vais à l'ordi.

Sur lola-falbala.com, il y avait des nouvelles de Chicco-Lol-e-pop. Il a un peu grandi, paraît-il (sur les photos, ça ne se voit pas, il a toujours l'air miniature). Mais, d'après Lola, les chihuahuas n'atteignent leur taille définitive que vers l'âge de 10 mois. En attendant, il paraît que le sien est déjà très sociable et attachant. Lola Falbala ne pourrait plus s'en passer ! Ah, une dernière chose à ce propos : maintenant, elle appelle son chiot Chick, tout simplement. Avoir mis tant d'énergie pour lui trouver un nom super original et finalement, lui donner un surnom… Voilà qui me fait penser à Astrid Vermeulen et à ses trois filles : Biquette, Ciboulette et Prunelle !

Me voici déjà arrivée à la fin de mon cahier bleu. Je n'ai jamais autant écrit que ce mois-ci ! Il faut dire qu'avant, je racontais plein de choses à Grand-Cœur. Mais maintenant, cher journal, c'est toi qui reçois toutes mes confidences. Avec Marie-Ève, bien entendu. Bon, c'est demain qu'on part en camping. Je vais préparer mon sac de voyage. Tiens, la première chose que j'y glisserai, c'est mon cahier jaune. Jaune comme le soleil d'été ! Comme les fleurs de mon bikini et comme mes nouvelles gougounes !

Catalogage avant publication de
Bibliothèque et Archives nationales du Québec
et Bibliothèque et Archives Canada
Louis, Sylvie
Le journal d'Alice
Sommaire: t. 4. Le Big Bang.
Pour les jeunes de 9 ans et plus.
ISBN 978-2-89686-044-9 (v. 4)
I. Battuz, Christine. II. Titre. III. Titre: Le Big Bang.
PS8623.O887J68 2010 jC843'.6 C2009-941002-8
PS9623.O887J68 2010

Dépôts légaux: 3e trimestre 2011
Bibliothèque et Archives nationales du Québec
Bibliothèque nationale du Canada
Bibliothèque nationale de France

Imprimé au Canada
10 9 8 7 6 5 4 3 2 1

Direction littéraire et artistique: Agnès Huguet
Révision et correction: Danielle Patenaude

Dominique et compagnie
300, rue Arran
Saint-Lambert (Québec)
J4R 1K5 Canada
Téléphone: 514 875-0327
Télécopieur: 450 672-5448
dominiqueetcie@editionsheritage.com
dominiqueetcompagnie.com

Nous remercions le Conseil des Arts du Canada de l'aide accordée à notre
programme de publication. Nous reconnaissons l'aide financière du gouvernement
du Canada par l'entremise du Programme d'aide au développement de l'industrie
de l'édition (PADIÉ) pour nos activités d'édition.

Nous reconnaissons l'aide financière du gouvernement du Québec par
l'entremise du Programme de crédit d'impôt pour l'édition de livres – SODEC –
et du Programme d'aide aux entreprises du livre et de l'édition spécialisée.

Remerciements de l'auteure
Un grand merci à Marc Trudel d'avoir conseillé monsieur Gauthier pour ses
tours de magie, à Jean-Pierre Urbain, auteur de livres de vulgarisation scientifique sur
l'astronomie destinés aux jeunes, qui a aidé monsieur Gauthier à préparer sa leçon sur le
Big Bang, ainsi qu'à Marguerite Meyer, qui a traduit le courriel de Lola Falbala.

L'auteure remercie également le Conseil des arts et des lettres du Québec de son appui financier.

Photo page 43: © Anthony Kelly (apdk)

Achevé d'imprimer en septembre 2011 sur les presses
de Payette & Simms à Saint-Lambert (Québec)